똑같이 그리다 보면

그 사람 얼굴이 아니라

내 마음이 보여

이젠 니 얼굴을 그리고 싶어

사랑 없인 그릴 수조차 없는

그림 말야

소울메이트

각본집

목차　　　Contents

서문

Preface

〈소울메이트〉가 극장에서 상영 중입니다.
폴더를 열어보니 마지막 대본이 손을
떠난 때가 2020년 봄입니다. 처음 제안을 받고
무모하게도 수락을 하고, 어떻게 하면 원작
영화의 아름다움을 고스란히 옮겨와 우리가 사는
땅 위에 발을 붙일 수 있을까 고민을 했던
기억이 납니다.

그리고 영화를 보면서 생각했습니다.
그 해답은 이 프로젝트를 열정적으로 발동시킨
변승민 대표님과 길을 잃지 않도록 함께
고민했던 이주현 피디님, 특유의 싱그러운 감성으로
여백을 채워주신 민용근 감독님, 그리고 치열하게
온몸으로 부딪쳐 준 배우님들이 함께 찾아주셨구나.
힘없는 활자를 일으켜 세워 기어코 심장에
내리꽂은 김다미, 전소니, 변우석 배우님의 연기에
깊은 찬사를 보냅니다.

작가로서 제가 해야 할 말은 한마디밖에
없는 거 같습니다.
감사합니다.

2023년 4월
강현주

"똑같이 그리는 건 재주지 재능은 아니잖아"

하은이 진우로부터 이 말을 들었을 때의 마음에 대해
생각했다. 하은은 그 말에 금세 수긍했을지 모른다.
자신이 그린 그림을 스스로 '낙서'라고 치부했던
그였으니까. 하지만 곰곰이 생각할수록 마음속엔 동의할
수 없는 무언가가 목구멍의 가시처럼 자꾸만 걸렸을
것이다. '똑같이 그린다'는 말로 단순화하기엔 진우가
놓치고 있는 것이 너무 많았으니까. 하은은 속으로
이렇게 되뇌었을지 모른다.

'왜 더 섬세하게 보려 하지 않을까'

원작이 있는 작품을 리메이크한다는 건, 어떤 핸디캡을
안고 시작하는 일이기도 하다. 〈소울메이트〉 각본
작업을 하면서 총 세 개의 서로 다른 이야기를 썼다.
첫 번째와 두 번째 이야기에서는 미소와 하은 둘 중
누구도 요절하지 않으며, 두 사람이 함께 키운 딸인
'엘렌'이라는 소녀가 중요한 화자로 등장한다.
나는 원작의 이야기와 꽤 멀리 떨어져 있는 첫 번째와
두 번째 이야기를 사랑하지만, 가장 사랑하는 건
원작과 유사한 이야기 틀을 가진 세 번째 시나리오,
즉 영화화된 시나리오다.

이유는 명료하다. 미소와 하은이라는 두 사람에게
온전히 집중할 수 있는 이야기의 틀이었기 때문이다.

하지만 영화라는 매체에서 이야기의 틀이, 곧 그 영화의
정체성이라고 생각하진 않는다. 개별 영화의 고유한
정체성은, 수많은 영화적 요소로 만들어지는 형식과
무드, 리듬, 말로 설명되지 않는 감정들로 만들어진다.
나는 〈소울메이트〉에 그런 고유성을 담아내고 싶었다.
활자로 된 시나리오가 영화의 형식과 무드, 리듬과
감정을 전부 담아낼 순 없겠지만, 이 각본집이 영화를 더
고유하게, 그리고 더 섬세하게 들여다볼 수 있는
작은 길잡이가 되길 바란다.

하은의 오른쪽 볼에 난 점처럼, 자세히 들여다봐야
보이는 무언가가 있다. 섬세하게 봐야, 정확하게 볼 수
있다.

2023년 4월
민용근

Hello, I'M MAROO
7 Years Old
Do you want
To be Friends
with me?

우리의 작고
사소한 행동
모든 것들이
미소와 하은이에게
반영됩니다.

저는 낯선 환경과 낯선 사람을 보면 구석으로 숨어요. 그렇다고 소심한 성격은 아니니까,
저에게 너무 갑작스럽게 다가오지 말고, 시간이 걸리더라도 천천히 다가와 주세요!

저에게는 자연스러움이 제일 중요해요! 너무 긴 손을 내밀지 말고, 저의 귀나 큰 근처를 봐주세요.
처음부터 큰 제스처를 많아지게 다가하면 저를 공격하려는 것으로 오해할 수 있어요?

먼저 기다려 주면 안심을 택 돌아서 다면, 저는 놈에게 닥쳐서 저에게 걸고 싶어줄 세요.

저에 대한 판대를 더딜 수 있으나 낮은 목소리로 대답했어도 사면 저는 수리에 예민하니까,
마음 많은 것을 자연스럽게 주의 해주시면?

저의 건식에 놀래하여지고, 후로운 주변 누더, 믿음에게 남겨진 하는 없습니다.

제주도 촬영 특성 상, 습도가 높은 무더위와 예측 할 수 없는 날씨로 인해 모두가 지치고
체력이 방전될 수 있습니다. 특히나 면역력이 약한 어린이의 체력과 건강을 모두가
세심하게 체크해주세요. 아주 작은 건강상 문제라도 프로덕션팀에게 반드시
공유 부탁드립니다!

높은 곳을 올라가거나, 바다에 뛰어가는 장면 등 자연 그대로의 로케이션에서 촬영하며
안전 문제가 발생할 수 있습니다. 아역배우들이 혼자 있는 일이 없어야 하며,
그들의 촬영 동선을 세심하게 신경 써주세요. 차량 근처에서 촬영 시, 특별히 안전을
체크해주세요!

어린 미소와 하온이 욕조에서 얘기를 나누는 장면이 있습니다. 어른들의 사소한 말과
행동에도 부끄러움을 느끼거나 눈치를 볼 수 있는 때라, 이러한 장면은 훗날
아역배우들에게 이 영화가 좋은 경험 혹은 나쁜 경험으로 기억될 수 있는 중요한
순간입니다. 어른들의 잣대로 얘기하는 것은 지양해주세요. 이때만큼은
아이들의 말 없는 든든한 보호자가 되어주세요. 사담도 최대한 촬영장 밖에서
나눠주시기 바랍니다!

아역배우들과 신체 접촉을 할 때는 각별히 주의해주세요. 진행상 필요한 부분(의상과
헤어 정리, 와이어리스 마이크 착용 등) 시에도 아역배우들에게 의사를 먼저 묻고,
진행해주기 바랍니다.

아역배우는 어른들이 보호해 주어야 하는 동시에 프로 배우로서 함께 영화를 만들어 가는
동료입니다. 이들을 항상 존중해 주고, 이들의 말에 귀 기울여주세요. 또한,
이들이 연기에 집중할 수 있는 환경이 조성되도록 도와주세요!

각본

강현주, 민용근

Screenplay

1. 프롤로그 (오프닝 크레딧)

사각거리는 소리와 함께, 형태를 알 수 없는 흑백의 이미지가 보인다.
화면 위로 쉴 새 없이 움직이는 무언가. 초점이 맞으며
드러나는 연필의 빠른 움직임.
서서히 모습을 드러내는 얼굴의 부분 이미지들이 클로즈업과
점프 컷으로 이어지고, 연필과 콘테, 목탄, 흑연 붓, 찰필 등이
번갈아 가며 그림의 질감을 만들어 간다.
빠르고 섬세한 연필의 움직임이 더해질수록...
희미하게 드러나는 정교한 사람 눈의 이미지. 타이틀 떠오른다.

2. 래미 갤러리 / 밤 2020년 10월 (33세)

큐레이터   (off) 잠시만요. 불 켜드릴게요!

검은 화면 위로 들리는 한 여자의 목소리.
리모컨 누르는 소리와 함께 조명이 들어오면,
사다리, 레이저 수평계, 발포지로 싸놓은 그림들이 놓인,
전시 준비 중인 럭셔리한 갤러리 전경 보인다.
정장 차림의 큐레이터(여, 40대)가, 실루엣으로 보이는
한 여자를 안내한다.
어딘가에 멈춰서는 실루엣의 여자. 캐주얼한 정장,
쌍꺼풀 없는 눈, 성숙한 눈빛의 미소(33).
그녀가 보고 있는 건 발포지에 싸인 채로 벽에
세워져 있는 커다란 캔버스다.
큐레이터가 발포지를 벗기자, 그 사이로 미소의 얼굴이
담긴 거대한 흑백사진이 보인다.

10대 후반 시절, 누군가 그녀를 불러 세운 듯 뒤돌아본 찰나를 포착한
사진.

큐레이터   가까이에서 보세요. 사진 같지만, 그림이에요.

가까이 다가가 보면, 미세한 주름과 머리카락 한 올까지
세밀하게 묘사된 그림. 여전히 사진 같다.
큐레이터가 캔버스 가장자리 쪽 발포지를 걷어내자,
그제야 미세한 연필의 질감들이 보인다.

큐레이터   이 작품 특징이 또 있는데요.
                (스마트폰 플래시 켜며) 이렇게 하면...
                빛 반사랑 보는 위치에 따라서 그림이
                조금씩 달라진다는 거예요.

스마트폰 불빛을 그림의 일부분(머리카락 부위)에 비춘 뒤
서서히 이동시키는 큐레이터. 머리카락 뒤쪽에서 밝은 햇살이 환하게
비춰지며, 이미지가 변하는 현상이 일어난다.
플래시를 끈 뒤, 미소에게 아이패드를 건네는 큐레이터.
화면엔 스크랩된 뉴스 기사들이 보인다.

큐레이터   이번 저희 갤러리 공모전에서 대상 받은 작품인데,
                하은이란 이름 말곤 작가님에 대한 정보가 없었어요.

'래미 갤러리 공모전, 베일에 싸인 대상 수상 작가', '새로운 감각의
극사실주의 작가 탄생' 등의 인터넷 기사 캡처본을 넘겨보는 미소.

> **큐레이터**   관장님이 저희 갤러리 전속 작가로 모시고 싶어 하는데
> 방법이 없어서요. 메일 보내드렸는데 답도 없으시고..
> 저희가 작업 지원금도 꽤 높고, 해외 아트페어 쪽 하고도
> 교류가 활발하거든요.
>
> **미소**   ...... (용건이 뭐냐는 듯 보면)
>
> **큐레이터**   아.. 작가님과 가까운 친구분이라고 알고 있습니다.
> 혹시 작가님 연락되시면 저희랑 연결 좀 부탁드리려고요.

아이패드를 건네는 미소. 처음으로 입을 뗀다.

> **미소**   잘 모르는 친구예요. 어릴 때 잠깐 알던 게 다고요.
>
> **큐레이터**   (빤히 보다가) ...그렇지 않던데요.

3. 갤러리 사무실 / 밤 2020년 10월 (33세)

큐레이터가 클릭하면, 모니터에 어떤 블로그 화면이 뜬다.

> **큐레이터**   작가님 메일 아이디로 검색하다가 블로그 하나를
> 찾았거든요.

메뉴를 누르자 연도별로 펼쳐지는 수많은 글 목록들.

> **큐레이터**   여기 두 분에 대한 글이 있더라고요. 보니까...
> 두 분, 쭉 가깝게 지내셨던데요?
> 요건 블로그 글 프린트한 거..

블로그 인쇄본 한 장을 건네면, 나란히 놓인 두 소녀의 초등학교

졸업 사진이 보인다.

큐레이터   (오른쪽 사진 짚으며) 맞으시죠? 본인.

미소   (잠시 보다가) 죄송한데 제가 도움 드릴 수 있는 게
  없네요.

4. 갤러리 앞 복도 / 밤 2020년 10월 (33세)

사무실에서 나오는 미소.
엘리베이터에서 나오는 한 남자와 스쳐 지나가는데.

진우   (off) 미소야...

돌아보면, 놀란 눈으로 미소 앞에 서있는, 안경 쓴 정장 차림의
진우(33).

진우   (천천히 다가오며) 오랜만이다.

미소   (어색) ...오랜만이네.

진우   어떻게 지내?

미소   일 하고.. 그냥 지내지 뭐. 넌? 의사 됐겠네?

진우   응... (망설이다가) 하은이랑은... 연락해?

미소   아니. 나도 연락 끊긴 지 좀 됐어.

진우   아.. 너흰 오래갈 줄 알았는데.

미소   다 어릴 때 얘기지, 뭐. (말 돌리며) 여긴 무슨 일로 왔어?

큐레이터   (off) 함진우 씨?

진우가 양해를 구하고 큐레이터와 인사하는 사이, 미소가 말없이
엘리베이터에 오른다. 진우, 돌아보면 닫히는 엘리베이터 문.

내려가는 엘리베이터의 미소를 보는 진우.

5. 웹 프로그래밍 사무실 / 밤 2020년 10월 (33세)

빌딩 밖으로 보이는 도심의 건물들.

모니터 위에 보이는 복잡한 자바스크립트.

명령어 입력하며 업무에 열중하는 안경 쓴 미소.

똑같은 책상들로 가득한 삭막한 사무실.

일에 집중이 안되는지 미소가 안경을 벗고는 큐레이터에게

받아온 프린트물의 블로그 주소를 입력해본다.

수많은 글 제목들이 펼쳐지는 블로그.

맨 위, '1998년 여름'이라는 제목이 보인다.

잠시 망설이다가 클릭하는 미소. 화면 위에 펼쳐지는 긴 글.

'그날을 생각하면 매미 소리가….'등의 글자들 보이고,

그 위로 서서히 매미 소리 들려오며,

>   하은(NA)   그날을 생각하면 매미 소리가 제일 먼저 떠올라.
>
>   그날따라 매미 소리가 유난히 나른하게 들렸거든.

6. 하도초교 교실 / 낮 (과거) 1998년 7월 (11세)

팽낭(팽나무)에 달라붙은 매미 한 마리. 바르르 날개를 떨며 소리를 낸다.

수업 중인 교실 풍경. 창가 쪽에 앉아 있는 진한 눈,

단정한 외모의 하은(11). 열심히 필기하는 듯 보이지만,

실제론 교과서 귀퉁이에 수업 중인 담임 얼굴을 그리고 있다.

동그란 안경과 가운데 가르마를 한 담임의 특징을

재치 있게 포착한 그림.

하은(NA)	날도 더웠고, 수업도 지루했고..
	그렇게 졸리고 나른했던 날에.. 니가 왔어.

낙서하던 하은이 고개 들면, 문 앞에서 담임과 얘기하는
교감과 화려한 원피스를 입은 미소 모(30대)의 모습이 보인다.
어색한 원피스 차림의 고개 숙인 여자아이를 안으로 데리고
들어오는 담임. 하은을 비롯한 아이들 시선, 일제히 미소(11)에게
향하고, 미소는 여전히 바닥만 보고 있다.

담임	서울서 전학생 친구가 왔는데...
	(미소 보며) 자기소개부터 해볼까?
미소	(고개 숙인 채) 안... 미소.
담임	안미소.. 또? ...서울 어디에 살다 왔어?
미소	(엄마 눈치 한번 보고는) 압구정동.
담임	오. 좋은 데 살았네. 친구들한테 더 소개하고 싶은 거?
미소	(짧게 고개 흔든다)
담임	(무안한 듯 보다가) 그래. 저쪽 가서 앉자.

베네통 책가방을 거꾸로 멘 채, 하은 옆자리로 가는 미소.
하은이 걸상을 빼주자 가방을 내려놓는다.
뭔가 불만인 듯 교실 밖에 있는 엄마를 힐끗 돌아본다.
엄마를 보다가 교실 뒷문을 향해 슬며시 걸어 나가기 시작하는 미소.
뭐지.. 쳐다보는 아이들.
미소가 갑자기 뛰기 시작하자, "안미소!" 소리 지르며 뒤쫓는 엄마,
담임과 아이들이 놀란 눈으로 본다.

7. 하도 초고 운동장-교실 / 낮 (과거) 1998년 7월 (11세)

초등학교의 평온한 전경. 운동장을 죽어라 뛰는 미소와
그 뒤를 쫓는 화려한 원피스의 엄마.
"쟈이, 뭐(쟤 뭐야)?" 선생님과 아이들이 창문에 달라붙어
갑작스런 소동을 바라본다. 하은만이 고개를 돌려 미소 자리를 보면,
걸상엔 주인 없는 베네통 책가방만 거꾸로 놓여 있다.

8. 하도리 벌방진 앞 / 낮 (과거) 1998년 7월 (11세)

파란 바다와 하얀 등대가 보이는 풍경.
높은 곳 어딘가에 서서 바다를 보는 무표정한 미소.

하은	(off) 야! (대답이 없자) 안미소!

그제야 소리를 듣고 돌아보면, 미소가 서있는 곳은
3.5미터 높이의 거대한 성벽 같은 벌방진 위.
벌방진 꼭대기에 서있는 미소와, 그 아래에서 두 개의 가방을 메고
서있는 하은.

하은	(미소 가방 보여주며) 니 가방!
미소	......
하은	가져가. 두고 갔잖아.
미소	(잠시 보다가) 일로 올라와. 저쪽에 계단 있어.
하은	(말없이 고개 젓는다)
미소	왜?
하은	높은 데 못 올라가. 무서워.

(cut to) 미소가 손을 내밀자 아직 망설여지는 듯 미소를 보는 하은.

>   미소   이렇게 실눈 떠봐. 그럼 덜 무서워.

미소를 따라 가늘게 실눈을 떠보는 하은.
미소의 손을 잡고 별방진 위로 올라선다.

9. 별방진 길 / 낮 1998년 7월 (11세)

녹음 가득한 마을 밭길이 내려다보이는 별방진 위의
검은 돌길. 앞장서 걸어가는 미소.

>   하은   아까 학교에선 왜 도망간 거야?
>   미소   그냥... (말없이 걷다가) 너 이름은 뭐야?
>   하은   고하은.
>   미소   하은? (멈춰서 허공에 대고 한자 쓰며)
>   여름 하, 에.. 은하수 은.. 이면, 여름 은하수?
>   하은   은하수 은 아닌데. 온화할 은인데.
>   미소   (다시 걸으며) 온화한 여름은 재미없잖아.
>   여름 은하수로 해.
>   하은   (픽 웃으며) 그럼 넌 맨날 웃으라고 이름이 미소야?
>   미소   아마도.
>   하은   근데 왜 안 웃어?
>   미소   (멈춰 서서 돌아보며) 내가 안 웃어?
>   하은   응. 학교에서도 그렇고 지금도 그렇고..
>   미소   (생각하다가) 미소는 미손데... 안, 미소니까?

뭔 소린가 싶어 보다가 풉! 웃음 터뜨리는 하은.
미소도 그제야 처음으로 수줍게 웃는다.

하은   (동그란 눈으로 미소 보며) 웃으니까 예쁘다.

쑥스런 미소 지으며 하은을 보는 미소.
톡, 톡, 잎사귀 위에 빗방울이 떨어지기 시작한다.

10. 하은 집 / 낮 (과거) 1998년 7월 (11세)

세차게 쏟아지는 비. 하은과 미소가 조그만 박스를 품에 안은 채,
골목길을 지나 집으로 뛰어 들어온다.
쫄딱 젖은 채로 마당을 거쳐 거실로 부산스럽게 들어오는 미소와 하은.
미소가 비에 젖은 박스를 열자 의식이 없는 새끼 고양이 한 마리가
축 늘어져 있다.

하은   숨 쉬어?
미소   응! 수건 있어?

하은이 가방을 멘 채 수건 찾으러 거실로 나가면,
미소가 젖은 박스에서 고양이를 꺼내 좌식 책상 앞에 있던
꽃무늬 방석 위에 놓는다.
하은이 수건을 가져오자, 둘이 같은 자세로 웅크려 앉아 고양이를
되살리려 부산스레 움직인다.

(cut to) 별채에서 당근 포장 작업을 하다가 비를 맞으며 뛰어

들어오는 하은 엄마(40대 중반). 입구에서 젖은 몸을 털어내는데,
하은 방에서 "꺄!" 환호하는 소리가 들린다. 방 안을 보면 박수 치며
좋아하는 하은과 미소가 보인다. 두 아이가 인기척을 느끼고 돌아보면,

하은모	뭔데?
하은	혼자 비 맞고 있길래... 데려왔어.
하은모	(미소 보며) 야는?
하은	(미소와 서로 눈 마주치고는) ...친구.

11. 하은 집 주방-욕실 / 낮 (과거) 1998년 7월 (11세)

주방. 뜨거운 물이 담긴 커다란 들통을 들고 건너편 욕실로 가는 하은 모.
타일로 만든 옛날식 욕조 위에 뜨거운 물을 부어주면,
김이 모락모락 올라온다.

하은모	(수온 확인하고 나가며) 얼른 씻고 나와라. 밥 먹게.

구석에서 커다란 수건 뒤에 숨은 하은과 미소가, 킥킥대며 나타나
욕실 문을 닫는다.

(cut to) 욕조 안. 눈만 빼꼼 내밀고 있던 미소가, 고개를 들어
하은에게 입 모양으로 무언가를 말한다.

하은	...응?
미소	(웃으며 또 입 모양으로 말하면)
하은	뭐야. 말로 해.
미소	(작은 목소리로) 니 가슴... 봐바.

망설이는 하은. 부끄러운 듯 얼른 일어났다가 앉는다.

>   하은   너도.

장난기 가득한 얼굴로 금세 일어났다 앉는 미소.
부끄러운지 킥킥대며 웃는 두 사람. 미소가 바닥에 놓인 하은의 아동용
브라를 집어 올려본다.

>   미소   근데.. 이거 하면 안 답답해?
>   하은   답답해.
>   미소   근데 왜 해?
>   하은   몰라. 여자는 불편해도 좀 참아야 된대.
>   그래야 나중에 편해진대.
>   미소   (브래지어를 길게 쭉 늘려보더니) 난 커서도 안 할 거야.
>   답답한 거 싫어.

>   12. 하은 집 / 저녁 (과거) 1998년 7월 (11세)
할머니가 해녀복을 말리고 있는 하도리의 저녁 풍경.
주방에서 음식 만들고 있는 하은 모와 하은, 욕실에서 발을 닦고 있는
하은 부. 하은의 백일 사진부터, 최근 가족사진까지. 하은의 단란한
가족사진을 보며 머리 말리는 미소.

(cut to) 보글보글 끓는 카레를 대접에 담아주는 하은 모.
마당이 보이는 거실에 차려진 밥상.
하은이 자신의 카레 대접에서 당근만을 골라낸다.
씻고 나온 하은 부(50대 초반) 자리에 앉으며,

하은부	씁! 고하은. 너 경하지 말라 해서이! (너 또 그래!)
하은	아.. 당근 맛 어서 (없어).
하은부	아방이 주는 대로 먹으랜 했지. 아방이영 어멍이영 거 직접 키운 거 아니냐게.
하은	경해도 싫어! (그래도 싫어!)
하은부	다시 주성 안 담을래? 친구도 와신디 창피롭게 진짜...
하은모	(하은 부 퍼주며) 와 싫다는 아를 억지로 멕이노. 난중 크면 어련히 먹을까.
하은부	당신이 자꾸 오냐오냐 허낭 아이가 정 편식 햄잖아. 주면 주는 대로 먹어사주.
하은모	고마해라. 누가 고씨 고집 아이랄까봐. 밥상 머리 앞에서 진짜...

미소, 하은 부모의 대화를 흥미롭게 보다가 하은에게 귓속말로,

미소	(귓속말) 엄마 아빠 말이 왜 달라?
하은	(귓속말) 엄마가 부산에서 시집왔거든. (다시 귓속말) 사랑 때매 바다를 건넜대.
하은모	하은이 니도 자꾸 골라 먹으면 담부터 엄마가 편 안 들어준데이. 알겠제?
하은	(장난스레 웃으며) 응.

그때, 눈치 보며 브로콜리를 집어내던 미소. 하은 부와 눈이 마주친다.

미소	이거 못 먹는데.. (눈치 보다 하은의 당근 집어온다) 이건 잘 먹어요.
하은	앗싸. 브로콜린 내가 먹을게. (브로콜리 가져오면)

| 하은모 | 됐네. 미소가 당근 묵고. 하은이가 브로콜리 묵고!
(남편 보며) 됐제, 이제? |

하은 부, 픽- 웃으며 밥 먹자, 미소와 하은은 킥킥대며 부지런히
당근과 브로콜리를 교환한다. 그 모습 흐뭇하게 바라보는 하은 모.

13. 마을 입구 큰 나무 앞 ~ 차 안 / 밤 (과거) 1998년 7월 (11세)
가로등 아래. 승용차 뒤에서 담배 피우던 화려한 원피스의 미소 모.
황급히 담배를 끈다. 젖은 옷 들고 미소와 함께 나오는 하은 모.
아이 인계하고 들어가는데, 신기한 듯 미소 모를 돌아본다.

(cut to) 미소가 조수석에 타자 문이 닫힌다. 운전석 문을 열고
들어와 앉는 미소 모.

| 미소모 | 어딜 가면 간다고 연락을 해야 될 거 아냐.
그리고.. 아까 학교에서 그게 뭐 하는 짓이야,
엄마 창피하게. |
| 미소 | ....학교 가기 싫댔잖아. 어차피 전학 갈 건데 뭐. |
| 미소모 | 이번엔 금방 전학 안 간다고 했지. |
| 미소 | (짜증 섞인) 부천 살 때도 그랬잖아. 강릉 살 때도 그랬고.
올해만 몇 번째야. |
| 미소모 | 안미소! 아저씨 사정 좋아지면 다시 서울로 불러 준댔지!
너만 힘들어? 엄마도 지긋지긋해, 아주! |
| 미소 | (풀 죽은 채 엄마 눈치 보다가) ...지금 아저씨하고는
오래 갈 거 같아? |
| 미소모 | 미소야. 관계가 깊어지면 복잡해지는 법이야. |

우리 복잡하게 살진 말자. 응?

미소   (불안한 눈으로 엄마를 본다)

14. 별방진 길 / 새벽 (과거) 1998년 7월 (11세)

새벽의 아름다운 별방진 길. 미소가 어딘가로 달려가는 모습이
조그맣게 보인다.

15. 하은 방 / 새벽 (과거) 1998년 7월 (11세)

간유리 너머로 나타나는 미소. 똑똑. 누군가 창문 두드리면 잠에서
깨는 하은. / 꽃무늬 방석 위에 잠든 새끼 고양이와 그 앞에
나란히 엎드린 채 그림 그리는 하은과 미소.
노란 백열 스탠드. 바닥엔 하이샤파 연필깎이와 여러 개의 연필,
크레파스, 지우개가 널려있다. 하은이 연필로 그린 고양이
그림을 보는 미소. 꽤나 사실적이다.

미소   와- 디게 똑같다. 너 화가 될 거야?

하은   아니.

미소   왜? 잘 그리는데?

하은   아빠가 화가는 굶어 죽기 딱이래.

           (스케치북 내밀며) 너도 그려봐.

미소   나 못 그리는데..

하은   그런 게 어딨어. 그리면 다 그림이지.

잠시 망설이던 미소가 연필 대신 크레파스를 집더니 그림을 그리기
시작한다.

하은	(고양이 만지며) 근데 얘 이름은 뭐라고 하지?
미소	(그림 그리며) 나 하나 생각해둔 게 있는데..
하은	뭐?
미소	...엄마.
하은	엄마? 무슨 고양이 이름이 엄마야.
미소	다정하게 부를 수 있잖아. 엄마. (고양이 보며) 엄마야~
하은	(따라하듯) 엄마야~

자기들도 우스운지 키득대는 하은과 미소.
미소가 하은에게 그림을 보여주면, 크레파스로 색칠한 추상화 같은
고양이 그림.

하은	이게 고양이야? (돌려보며) 어디가 위야?
미소	(그림 짚어가며) 여기가 눈. 여기가 다리... 여기가 마음.
하은	...마음? 마음도 그렸어?
미소	응. 이상해?
하은	(그림 보며 생각하다가) 아니.

자기 그림 옆에 미소의 그림을 나란히 놓아보는 하은.
사이좋게 놓인, 하은의 사실적인 고양이와 미소의 추상적인 고양이
길게 보이며-,

| 하은(NA) | 그때 처음 알았어. 마음도 그릴 수 있다는 거.
넌 가끔 엉뚱한 말로 날 감동시키더라. |

16. 유년 몽타주 (과거)

<u>1999년 4월 (12세)</u> 하은 집 앞. 차 트렁크에서 미소의 짐 가방을 꺼내주는
미소 모의 남자.
미소 모가 글썽이는 눈으로 미소를 꼭 안아준다. 어색하게 엄마 어깨를
토닥여주는 미소. / 떠나가는 미소 모의 차. 하은 모와 하은,
미소가 떠나는 차를 향해 손을 흔들어준다.

> 하은(NA)   너희 엄마가 다시 서울로 간다고 했을 때도 그랬어.
>   난 아무 말 못 하고 슬퍼만 했는데.. 니가 그랬잖아.

<u>1999년 4월 (12세)</u> 하은 가족사진들 옆에 걸리는 미소와 하은의 사진.
/ 같은 방에 누워 잠든 미소와 하은. 그 둘 사이 어딘가에서 꼬물대는
새끼 고양이 '엄마'.
<u>1999년 7월 (12세)</u> 별방진 위, 함께 책가방을 메고 걸어가는 미소와 하은.
에메랄드빛 하도 해변. 첨벙 뛰어들며 신나게 노는 열두 살의 하은과
미소 모습 느린 화면으로 보인다.

> 하은(NA)   나랑 헤어지는 일은 없을 거라고. 혼자라도 제주에
>   남겠다고. 우리가 그때를 같이 보낼 수 있었던 건..
>   다 니가 해준 그 말 때문이었어.

17. 제주여상 미술실 / 낮 (과거) 2004년 7월 (17세)

넓게 펼쳐진 목초지 위. 말들의 모습...을 찍은 스크린.
CA시간의 미술실 풍경. 수채화로 사실적인 그림을 그리는
학생들 틈으로 보이는 부스스한 머리의 미소(17).
강렬한 색채의 나홀로 추상화다. 지나던 미술교사(여, 30대)가

미소 그림 보더니.

> **미술교사**   넌 니가 무슨 피카손 줄 알지? 미소야..
> 제발 기초부터 하자, 응?

미소가 건성으로 오케이 표시하자, 웃으며 가는 미술교사.
학생들 힐끔 미소를 보면, "뭘 봐" 입 모양으로 겁주는 미소.
장식 고리들이 달린 휴대폰 꺼내더니 몰래 문자를 보낸다.

18. 세화여고 교실 / 낮 (과거) 2004년 7월 (17세)
국어 수업 중. 교과서 밑에서 폴더폰을 꺼내는 누군가의 손.
미소와 같은 디자인의 폰이다. 미소로부터 온 문자 확인하면,
'야자 쨈 가능?'
단정한 교복 차림의 하은(17). 재빨리 답변을 보내고 교과서 뒤에
휴대폰 숨긴다. 무척이나 단정하게 쓰인 정자(正字)로 가득한 하은의
필기 노트. 다음 페이지로 넘기면 노트엔 수업 중인 담임 선생님
(남, 40대)의 얼굴이 그려져 있다. 낙서라고 하기엔 꽤나 사실적인
그림. 진지하게 수업 듣는 척하며, 열심히 그림 그리는 하은.

19. 교무실 / 낮 (과거) 2004년 7월 (17세)
목에 수건을 감은 채 벌게진 얼굴을 하고 교무실로 들어서는 하은.
담임 선생님을 찾아간다.

> **담임**   (붉은 얼굴 보곤) 너 왜 그래. 열 나?
> **하은**   (쉿소리) 아침부터... 목이 아팠는데...

열이 좀 심해져서요..

교무실 창밖에서 보면, 담임에게 레쓰비를 건넨 뒤 인사하고 힘겹게 나가는 하은의 모습.

20. 세화여고 교문 앞 / 낮 (과거) 2004년 7월 (17세)

하은이 목에 수건을 감싼 채 교문을 나오면, 미소의 스쿠터가 기다리고 있다. 하은이 목을 감싸던 수건을 풀어내자, 적당한 압력으로 목을 조르던 운동화 끈이 보인다.

미소	오~ 고하은 점점 진화하고 있어.
하은	(끈 풀며) 하! 숨 막혀 죽는 줄 알았네. 넌 벌써 끝났어?
미소	CA라 그냥 튀었지. 어차피 난 안 찾아.
하은	(헬멧 쓰며) 근데 갑자기 무슨 일?
미소	너 내일 귀빠진 날이잖아. 귀 뚫으러 가야지.
하은	귀빠진 날에 왜 귀를 뚫어?
미소	귀가 진짜로 빠져버리면 안 되잖아.
하은	응?
미소	(진지하게) 그러니까.. 귀가 완전히 빠져버리기 전에 귀를 뚫어줘야 되거든. 그래야 혈액 순환도 되고, 귀에도 좋고, 누이도 좋고 매부도 좋고 하는 거지.
하은	또 개소리한다..

급출발하는 스쿠터. 소리 지르며 미소를 잡는 하은.

21. 해안 도로 / 낮 (과거) 2004년 7월 (17세)

음악과 함께, 시원하게 뚫린 해안 도로와 그 옆의 에메랄드빛 바다가
펼쳐진다. '빰빠빠빠빠-' 베토벤 〈비창〉의 펌프 버전을 목청껏 부르며
스쿠터 타고 가는 하은과 미소.

22. 오락실 / 낮 (과거) 2004년 7월 (17세)

베토벤 〈비창〉에 맞춰 화살표 발판 위에서 현란하게 움직이는 발.
함께 펌프를 하는 하은과 미소.
현란한 발놀림을 구경하는 초등학생들.
개인기에 이어 듀엣으로 이어지는 두 사람의 댄스 합!

23. 아트 팬시점 / 낮 (과거) 2004년 7월 (17세)

'귀 뚫습니다'라고 크게 써 붙인 현수막이 있는 아트 팬시점.
도라에몽 티셔츠를 입은 큰 덩치의 팬시점 사장(남, 40대)이 초등학생
여아의 귀를 뚫어주고 있다.
멀찍이 떨어져 걱정스러운 듯 구경하는 하은. 미소는 거울 보며
샘플 귀걸이를 착용해보고 있다.

하은	정말 안 아파?
미소	(샘플 귀걸이 해보며) 잠깐만 참으면 돼.
	고통은 짧고 쾌락은 길단 말도 있잖아.
하은	그 반대 아냐?
미소	(거울 보며) 아니, 최근에 바꼈어.

(cut to) 잔뜩 겁먹은 하은. 사장이 귀를 잡고 막 뚫으려는 찰나.

하은	잠깐만요. 하나 둘 셋 하고 나서 뚫으셔야 돼요.
	셋, 할 때 뚫으시면 안 돼요.
사장	알았다니까. 몇 번을 말해. 움직이면 큰 난다.
하은	네. (심호흡 하고, 눈 질끈) 하세요.
사장	하나.. 둘.. 셋!

툭-하고 권총 침이 하은의 귀를 뚫는 순간,
와장창 유리 깨지는 소리 들린다.
하은, 아픈 귀를 잡고 돌아보면 바닥에 산산조각 난,
유리로 만든 액자들. 샘플 귀걸이를 해보던 미소. 결백하다는 듯
두 손 번쩍 들고 있다.

사장	뭐야..
미소	(바로 아래 깨진 액자들 보며) 이게 왜 여있지?
사장	니가 팔꿈치로 건드렸구만.
미소	아닌데... 그냥 저절로..
사장	저절로는 무슨! 이거 깨진 거 다 합하면 10만 원도 넘는데
	어떡할래?
미소	이게 뭐 10만 원이 넘어요. 다 몇천 원짜리 들이구만.
사장	뭐?
하은	죄송해요. 저희가 물어드릴게요.
미소	아니, 그렇게 비싼 거면 왜 통로에 놓고, 깨지게.
하은	가만 좀 있어. 아저씨 저희가..
사장	(말 끊으며) 보다보다 이런 싸가지는 첨이네.
	너 어디 학교야?
	(어깨 툭 건들며) 꼬라지 보니까, 어디 상고 다니니?
미소	(손 탁 치며) 지금 상고 무시했냐, 이 뚱땡아!

사장	(다시 어깨 툭 밀며) 허! 말하는 꼬라지가 상고 맞구만.
하은	근데 아저씨도 그렇게 말씀하시면 안 되죠!
사장	이것들이 쌍으로 미쳤나.
미소	가자. 말 섞을 가치가 없다. (하은 끌고 가면)
사장	(입구로 쫓아가며) 어디 가? 이거 물어내고 가야지!

하은의 가방을 잡아채는 사장.
하은이 끌려가지 않으려 저항하고, 미소도 합세한다.
"놔요!" 사장의 완력에 의해 질질 끌려가는 하은과 미소.
그때 미소와 하은이 짧게 시선을 주고받더니,
잡고 있던 가방을 동시에 놓아버린다. 사장이 뒤로 넘어지며
선반이 와르르 무너진다.
순식간에 난장판이 된 팬시점. "야!" 소리 지르는 사장.
재빨리 가방을 들고 튀는 미소와 하은.

24. 제주 구시가지 / 낮 (과거) 2004년 7월 (17세)

팬시점 문을 열고 나와 무작정 달리는 미소와 하은.
팬시점 사장도 뒤따라 나온다.
구시가지 거리를 사력을 다해 나란히 달리는 미소와 하은과 뒤쫓아
달려오는 사장. 그때 갑자기 미소가 방향을 꺾어 오른쪽으로 달아난다.
누구를 따라갈까 순간 망설이던 사장이 하은을 뒤쫓는다.
홀로 멀어지는 미소.

(cut to) 지친 표정. 헉헉거리며 달리던 하은.
뒤돌아보면, "야! 거기 안 서!" 여전히 쫓아오는 사장.
그때 스쿠터 소리가 들리더니, 스쿠터에 탄 미소가 열심히 달리는

사장 옆을 유유히 추월해간다. 열심히 달리고 있는 하은 옆도
유유히 지나쳐 가더니 저 앞에 멈춰서는 미소의 스쿠터.
달려가던 힘 그대로 미소의 스쿠터에 올라타는 하은.
곧바로 급출발하면-,
거의 따라잡은 사장을 따돌리며 멀어지는 하은과 미소의 스쿠터.
허탈하게 바라보는 사장.

25. 하은 집 거실 / 저녁 (과거) 2004년 7월 (17세)

이제는 성묘가 된 고양이 '엄마'. 꽃무늬 방석 위에 새초롬하게
앉아있다. 둘러앉아 저녁 식사하는 하은 가족과 미소.
미소에게 성게미역국을 덜어주는 하은 모.
주방에서 나온 하은 부가 미소에게 당근 주스를 건넨다.

하은부	이거 좀 마셔보라. 당근이 몸 또뜻하게 해줄 여자헌티 좋아.
하은	아빠 센스 없이 하나만 들렁 오나.
하은부	넌 당근 싫엉 허네.
하은	아 그럼 아까 엄마가 식혜 해논 거 가정오믄 되네.
하은부	씁- 이게 아방을 시켱먹잰. 먹고정 하밍 너가 가져당 먹어.
하은	(일어나며) 가만 보민 누가 누구 딸인지 모르카라 진짜.
하은모	(고기 덜어주며) 미소야. 게스트하우스에서 일하는 거 힘 안 드나?
미소	저야 뭐 집 문제도 해결되고.. 괜찮아요.
하은모	엄마는? 연락 자주 오나?
미소	아뇨. 근데 무소식이 희소식이니까.
하은모	힘든 일 있으면 아줌마한테 언제든 얘기하래이.

미소   니는 예쁘고 재능도 많으니까.. 다 니 하기 달렸디.
      알제?

수줍게 웃으며 옆에 두었던 가방에서 뭔가를 꺼내는 미소.
CK(캘빈 클라인) 마크 찍힌 상자.
식혜를 들고 들어오던 하은, 그 모습 보며 자리에 앉는다.

하은	그게 뭐야?
미소	(하은 모에게 주며) 첫 월급 선물은 속옷 사야 된다고 들어서..
하은모	엄마야... 니가 무슨 돈이 있다고. (열어보면 와인색 커플 속옷) 으메.. 색깔 봐라 이거.
미소	입어보세요. 사이즈 안 맞으면 바꿔 와야 되니까.
하은부	아, 밥 먹는디 무신...
하은모	(남편 손잡고 일어나며) 안 맞으면 바꿔 와야 된다 아이가. 얼른 오세요.
하은	(부모가 방으로 들어가는 것 보며) 나보다 낫네. 가끔 보면 니가 더 딸 같아.
미소	너 딴 건 안 부러운데.. 너희 부모님은 좀 탐난다.
하은	탐나면 가져가. 제발..
하은모	(off) (방 안에서) 미소야. 이거 맘에 든다! 야시시한 게.. 내 스타일이다잉.
미소	아줌마.. 그럼 하은이 오늘 제 방에서 자고 가도 돼요?
하은모	(off) 와?
미소	내일 하은이 생일이잖아요!
하은부	(off) 안 돼에! 다 큰 여자가 어딜 바깥에서...
하은모	(off) (남편 입 틀어막으며) 괘얀타. 자고 온나!

하은   (투닥거리는 하은 부모 소리 들으며, 미소 보고 웃는다)

26. 게스트하우스 미소 방 / 밤 (과거) 2004년 7월 (17세)

스쿠터를 타고 오는 미소와 하은. 단독주택 형태로 된 게스트하우스에
도착한다. / 사장에게 인사하며 직원 방이 있는 쪽문으로 들어가는
미소와 하은.

(cut to) 방 한편엔 게스트하우스 침구류들이 쌓여있고,
나머지 공간에 개인 물품을 정리해놓은 미소 방.
선반엔 유화 화구들이 놓여있고, 벽에는 미소가 그린 화려한 색감의
추상화들이 자유롭게 붙어있다.
와인 마시며 유심히 그림들을 보던 하은. 조심스레 그림을
만져보려는데, 미소가 욕실에서 나온다.

미소 (머리 말리며) 그림 유치하지?
하은 아니. 저번에 너네 미술 선생님이 칭찬하던데.
    너 재능 있다고.
미소 맨날 까기만 하더니 웬일이래? (와인 마시는 하은 보더니)
    야! 미쳤어.. 귀 뚫은 애가 술을 마시면 어떡해!
    (잔 뺏는다)
하은 왜?
미소 (병 확인하며) 고새 얼마나 먹은 거야. 귀 곪는단 말야.
하은 나, 말짱해. (눈 동그랗게 떴다 감았다 하며) 말짱말짱!

(cut to) 재니스 조플린 CD를 꺼내 플레이어에 넣는 미소.
전주와 함께 〈Me & Bobby Mcgee〉 흘러나온다.

미소의 허벅지에 누워있는 하은. 미소가 소독약으로 하은의 귀를 소독해주고 있다.

미소	봐바, 이거. 벌써 빨개졌네.
하은	이건 누구 노래야?
미소	(귀 소독해주며) 재니스 조플린.
하은	옛날 가수?
미소	응. 이 언니 노래가 진짜야. 이 언니도 진짜고.
하은	왜?
미소	스물일곱에 죽었거든.
하은	그게 진짜인 거랑 무슨 상관인데?
미소	음... 제일 빛날 때 죽었잖아. 저 목소리로 미친 듯이 노래 부르다가.. 하− 나도 딱 10년만 폭풍처럼 살다가, 딱 스물일곱에 죽고 싶다.
하은	(서운한 듯 한참 보다가) ...너 죽으면 난?
미소	(소독 마무리하며) 넌 백 살까지 살아야지. 내 몫까지.

서운함에 미소를 노려보는 하은. 급기야 눈물까지 글썽글썽.

미소	아, 농담이야. 이게 취해 가지구 썰렁하게 구네.
하은	(노려보며) 너 나보다 먼저 죽으면 내가 죽여 버릴 거야.
미소	알았어. (하은 얼굴 찌그러뜨리며) 요렇게 늙을 때까지 살게. 벽에 똥칠할 때까지.
하은	됐거든. 누구보고 치우라고?
미소	누구긴 누구야. 너지! (얼굴 더 찌그러뜨린다)
하은	악! 그만해. 주름 생겨!

티격태격하는 모습 위로 흐르는 〈Me & Bobby Mcgee〉.
'Freedom's just another word for nothing left to lose.
Nothing, it ain't nothing honey, if it ain't free…'

(cut to) 어스름한 아침. 입 벌리고 잠든 하은을 조심스레 깨우는 미소.
하은이 눈을 뜨면,

미소	(속삭이듯) 조식 먹으러 가자.
하은	(잠 덜 깬) …조식?
미소	응. 리조트 조식.

27. 세화 리조트 폐건물 / 아침 (과거) 2004년 7월 (17세)
울창하게 자란 잡초들을 헤치며, 저 멀리 보이는 3동짜리 리조트
건물을 향해 가는 미소.

하은	(어리둥절) 여기.. 뭐야?
미소	망한 리조튼데 건물이 안 팔리나봐. 그래서 내가
	접수했지.

리조트 1층. 콘크리트 뼈대만 남은 건물과 폐자재들이 널브러진 복도를
지나 계단을 오르는 두 사람.

(cut to) 계단을 따라 2층에 오면, 어디서 주워 왔는지
항공기 승무원 입간판이 우측을 가리키며 서 있다.
공손하게 인사하는 미소. 하은에게도 인사시킨 뒤 입간판이
가리키는 출입구로 향하면,

커다란 스티로폼 판넬이 입구를 가로막고 있다.

판넬 가운데 그려진 커다란 손바닥. 미소가 손바닥을 쳐보라는

시늉을 하자, 영문도 모른 채 손바닥으로 치는 하은.

스티로폼 판넬이 힘없이 쓰러지며 안쪽 공간이 보인다.

낡은 빨간색 천으로 이어놓은 가짜 레드카펫, 바닥엔 모아놓은 깨진

유리 조각들과 넝쿨들. 그 너머로 아늑하게 꾸며진 작은 공간.

낡은 테이블 위엔, 케이크와 열일곱 개의 초가 꽂혀있다. 하은이 뭐냐,

는 눈빛으로 보면 미소가 말없이 안으로 안내한다. 하은이 걸어가며

옆을 보면, 뻥 뚫린 베란다 너머로 바다와 우도, 성산 일출봉 등이

보인다. 케이크 상자 안에서 조그만 선물을 꺼내는 미소.

하은이 열어보면 귀걸이 한 쌍이 놓여있다. 하은이 귀걸이를 들고

자세히 보면, 하은의 ㅎ과 ㅇ을 세로로 이어서 만든 모양. (ㅎ)

> **미소**   니 이름 따서 만든 거야. (가리키며) 요게 히읗, 요게 이응.
>
> **하은**   (감격) 그래서 어제 귀 뚫으라고 한 거야?
>
> **미소**   응. 근데 한 쪽밖에 못 뚫었으니까, 나머진 나중에 또
> 뚫으면 해.
>
> **하은**   지금 끼워줘.
>
> **미소**   지금? 지금 하면 아플 텐데? 붓기 빠지면 해.
>
> **하은**   괜찮아. 참을 수 있어.

발갛게 부은 하은의 귀에, 철심을 뽑아낸 뒤 새 귀걸이를 걸어주는

미소. 아픈 듯 얼굴 찡그리는 하은. 하나 남은 귀걸이를 만지작거리다

미소에게 건넨다.

> **하은**   이건 너 해. 나 나머지 한 쪽 뚫을 때까지.

(cut to) 똑같은 귀걸이를 한 쪽 씩 하고 앉아있는 하은과 미소.
푸른 바다를 보며 종이컵에 담은 생크림 케이크 먹으며
미소의 브리핑(?)을 듣는 하은.

미소	일단 시베리아 횡단 열차 타고 바이칼 호수부터 볼 거야.
	그 담에 프랑스 도착하면 미술관도 가고, 그림도 배우고.
	스페인 가면 모로코 가는 배 탈 수 있거든. 그렇게
	북아프리카도 한 바퀴 쭉 돌고.
하은	(먹으며) 언제 가게?
미소	한 5년 후? (진지하게) 같이 가자.
하은	나 비행기 못 타잖아. 높은 데는 무서워..
미소	블라디보스톡까지 배 타고 가면 되니까 괜찮아.
	여행하면서 그림도 배우고.
	너도 그림 그리면서 싶다 했잖아.
하은	(한숨) 내 팔자에 무슨 그림이냐...
	아빤 내가 선생님 됐으면 좋겠대. 그게 아빠 로망이래.
미소	아빠 로망은 아빠가 이루시라고 하고. 너는 나랑 가자. 응?
하은	(생각하다가) 뭔가 무서운데.
미소	내가 지켜줄 건데 뭐가 무서워.
하은	(웃으며) 누가 누굴 지켜. 훅 불면 날아갈 거 같구만.
미소	아니거든. (팔 벌려서 어깨 툭 치며) 여기 기대봐.
하은	남친도 아닌데 내가 왜 니 어깨 기대냐?
미소	(콧방귀 뀌며) 웃기네. 그럴 남친이나 있고?

어색한 표정으로 뭔가 머뭇거리는 하은. 그 표정 살피는 미소.

미소	...뭐야. 있어?

하은	(말이 없다)
미소	있구나. 누구?
하은	...나 학기 초에 한라고 농구 동아리 애들이랑 대면식 했잖아. 거기서 봤던 애.
미소	너... 벌써 사귀는 거야?
하은	아니지. 한 번 본 게 전분데. 근데 주말에 걔네랑 써클팅 있어서 또 볼 거 같아.
미소	(잠시 생각하다가) 걔가 좋아?
하은	...그려보고 싶어.
미소	뭘?
하은	걔 얼굴.
미소	(툭- 치며) 야, 넌 담탱이 얼굴도 맨날 그리잖아 교과서 구석에다가.
하은	그거랑 다르지. (진지하게) 눈이 얼마나 예쁘게 생겼는데.
미소	뭐야.. 너 왜케 진지해..

뭔가에 빠져있는 눈빛의 하은을 낯설게 보는 미소.
테이블에서 일어나 잠시 창밖 바다를 보다가, 하은을 향해 돌아선다.

미소	고백해. 좋아하면 먼저 용기를 내야지.
하은	어떻게 내가 먼저 그래.
미소	용기 있는 여자가 미남을 얻는단 말 몰라?
하은	그 반대 아냐?
미소	아니. 최근에 바꼈어. 걔 이름이 뭔데?
하은	(부끄러운 듯 망설이다가) 진우... 함진우.
미소	(허공에 한자 쓰듯) 참 진 자에, 소 우 자면.. 참된 소? 괜찮은데?

하은   (피식 웃는다)

28. 미소 아파트 / 밤 2020년 10월 (33세)

어두운 화면. 문 여는 소리 들리고 현관 불이 켜진다.
아파트 현관에 들어서는 현재의 미소.
/ 방문을 열어 안을 살피면, 침대에서 잠든 어린아이(여, 7)의 모습.
/ 아무도 없는 집 안 거실의 장난감과 동화책들을 홀로 정리하는 미소.
/ 커튼 닫고, 책상에 앉아 노트북을 보는 미소. 하은의 블로그 글,
'2004년 여름'을 클릭하면,

29. 한라고 운동장 / 낮 (과거) 2004년 7월 (17세)

하교하는 남녀학생들 사이로 나타나는 교복 차림의 미소 스쿠터,
교문 앞에 멈춰 선다. 주변 시선은 아랑곳 않고 운동장을 둘러보면,
저 멀리 농구하는 남학생들이 보인다.

(cut to) "먼저 간다!" 자전거 타고 가는 네다섯 명의 친구들.
땀에 젖은 모습으로 손 흔드는 진우(17). 또래보다 훤칠한 키에 참하게
생긴 눈을 가졌다. MP3 꺼내 이어폰을 귀에 꽂고는 자전거를
끌며 걸어간다. 잠시 뒤, 진우의 앞쪽 어딘가에서 나타났다 사라지는
미소의 스쿠터. 곧이어 진우 뒤쪽에서 다시 들리는 스쿠터 소리.
미소의 스쿠터가 나타나 진우와 나란히 진행한다.
힐끔거리며 걷다가, 의문의 스쿠터가 계속 따라붙자 멈추고
돌아보는 진우. 미소가 무표정한 얼굴로 진우에게 가까이 와보라고
손짓한다. 망설이던 진우가 한 걸음 다가서면, 진우 귀에 있던
이어폰을 빼 자신의 귀에 끼워보는 미소.

미소	(들어보고 이어폰 주며) 패닉?
진우	.....?
미소	패닉 노래네. 옛날 노래 좋아하나봐?

주변을 둘러보고는 무시하고 걷는 진우.
다시 스쿠터로 따라가며 말을 거는 미소.

미소	〈달팽이〉가 좋아, 〈왼손잡이〉가 좋아?
진우	(무시하고 걷는다)
미소	야, 묻잖아. 〈달팽이〉가 좋아, 〈왼손잡이〉가 좋아?
진우	(앞만 보고 걷다가) ....〈왼손잡이〉.
미소	(픽- 웃으며) 의외네. 여자 친구 있어?
	연애는 많이 해봤나?
진우	(멈추며) 너 나 알아?
미소	당근 알지. 참된 소. 함진우.
진우	내 이름을 어떻게 알아?
미소	(시동 끄고) 너 이번 주말에 써클팅 가지?
진우	응.
미소	거기 어떤 애가 너 맘에 두고 있거든?
	그러니까 태도 똑바로 하라고.
	아닌 거면 딱 끊고, 좋아하면 걔만 봐.
	애매하게 굴지 말고. 절대 상처 주지 말고.

흥미롭다는 듯 미소 보는 진우. 귀에 걸린 'ㅎㅇ' 귀걸이가 눈에 띈다.
미묘한 시선 오가고...

| 진우 | 나 마음에 두고 있단 애가.. 혹시 너야? |

미소	미친.. 김칫국 좋아하냐?
진우	그럼 넌 누군데.
미소	나? (뭐라 할지 망설이다) 재니스 조플린?

그때, "야! 거기 스쿠터! 이리 안 나와?" 소리치며 미소 쪽으로
달려오는 수위 아저씨.

미소	(시동 걸고는) 담에 보면 아는 척 말고 그냥 쌩까라.

출발하는 미소. 달려오는 수위 아저씨를 피해 빙 돌아 도망간다.
그런 미소의 뒷모습 보는 진우.

30. 공원 / 낮 (과거) 2004년 7월 (17세)

삼삼오오 모여 있는 남녀 고등학생들(여학생 4명, 남학생 3명)
"안녕하세요." 이제 막 도착한 여학생 둘이 일행에 합류하며
서로 어색하게 인사를 한다.
어딘가를 보며 누군가를 기다리는 하은의 얼굴.

여회장	너희 다 안 왔어?
남회장	(저쪽 가리키며) 저기 오네.

남학생이 가리키는 방향을 보면, 저쪽에서 달려오는 3명의 남학생.
그중에 눈에 띄는 키 큰 남학생 진우. 진우를 바라보는 하은의 표정이
미묘하게 변한다.

31. 캔모아 디저트 카페 / 낮~밤 (과거) 2004년 7월 (17세)

남회장   써클팅의 하이라이트는 뭐다?

인공 나무와 꽃무늬 소파, 흔들 그네로 채워져 있는 캔모아
디저트 카페. 테이블 위엔 눈꽃 빙수, 파르페 등이 올려져있고,
남녀가 마주 본 채 앉아 있는 하은의 동아리 모임.

남회장   아유, 왜 모르는 척 해... 짝짓기 아냐, 짝짓기!

여회장   동물이냐? 동물이야? 짝짓기가 뭐야, 짝짓기가.. 커플,
매칭!

남회장   (무시) 자, 짝짓기는 우리 동아리 모임 전통대로 고스톱
게임으로 정할 거야.
고스톱 게임 알지? (반응 보고) 몰라? 잘 들어.
이게 뭐냐면..

여회장   (가로채며) 내가 맘에 드는 사람이 있다.
그럼 그 사람한테 '고!'를 외쳐.
그럼! '고' 받은 사람은 선택해야 돼. 고, 할지 스톱, 할지.
맘에 안 든다? 그럼 자기가 맘에 드는 사람한테 '고!'
맘에 들면 '스톱!' 앤 덴.. 커플 탄생. 오케이?

(cut to) 순박하게 생긴 남학생 1이 하은을 포함한 5명의 여학생
(회장 제외)들을 긴장된 표정으로 본다.
남학생 1, 대각선에 앉은 여학생 2에게 '고!'를 외친다.
순간 어이없다는 듯 싸늘하게 남학생 1을 노려보는 여학생 2.
여학생 2가 남아 있는 남학생 네 명을 차례로 본다. 그리곤 남학생 4를
향해 도도하게 '고'를 외치자, 남학생 4(하은 파트너)는

기다렸다는 듯 하은을 향해 '고!'를 외친다. 남학생 4를 보는 하은.
긴장된 표정으로 하은의 선택을 기다리는 남학생 4, 하은이 가볍게
고개 인사하자, '된 건가?' 싶은 남학생 4의 얼굴에 화색이 돈 순간,
진우를 향해 '고!'를 외치는 하은.
진우에게 모인 일동 시선. 남은 세 여학생들 사이에 팽팽한 긴장감이
돌고. 하은도 긴장된 표정으로 진우를 보는데..

진우   ...스톱.

32. 게스트하우스 / 낮 (과거) 2004년 7월 (17세)

2층 테라스의 테이블 위에서 오겹살을 구워 먹고 있는 7~8명의
(밴드 포함한) 손님 일행들.
주인과 함께, 앞치마를 한 미소가 반찬을 나르고 부탄가스 등을
갈아주며 정신없이 일하고 있다. 커트 코베인 얼굴과 Nirvana 로고가
박힌 셔츠를 입은, 반항기 있는 눈빛의 기훈(22). 친구들과 함께
고기를 먹다가 슬쩍 미소를 본다.

33. 게스트하우스 옥상 / 낮 (과거) 2004년 7월 (17세)

미소가 하은에게 전화를 걸며 옥상으로 올라온다.
해질녘. 널어놓은 침대 시트가 펄럭이는 경치 좋은 옥상.
아무도 받지 않는지 난간에 걸터앉는 미소.

기훈   (off) 남친 전화야?

미소가 돌아보면, 반대편에 앉아 담배를 문 채 기타를 들고 있는

너바나 티셔츠의 기훈.

<blockquote>

미소   아뇨.

기훈   (연기 뿜으며) 남친 안 키워?

미소   (답 없이 픽 – 웃는다)

기훈   (기타로 능숙하게 전주를 연주하더니)

　　　　　내가 노래 불러줄까?

</blockquote>

34. 캔모아 디저트 카페 / 낮 (과거) 2004년 7월 (17세)

카운터에서 토스트와 생크림 리필을 받아 오는 진우.

하은 맞은편 그네 의자에 앉는다.

<blockquote>

진우   왜.. 날 그리고 싶은 건데?

하은   (생크림 떠먹고는 잠시 생각하다가)

　　　　　그리다 보면 점점 알게 되니까.

진우   뭘?

하은   .....마음.

진우   마음?

하은   응. 똑같이 그리다 보면, 그 사람 얼굴이 아니라

　　　　　내 마음이 보여. 내가 이 사람을 어떻게 느끼고 있나..

　　　　　그런 거. 그래서 최대한 똑같이 그려야 돼. 꾸미지 말고.

　　　　　최대한 똑같이.

</blockquote>

(cut to) 저녁. 카페 마감 준비를 하고 있는 주인. 구석 자리에 하은과
진우 둘만 남았다. 하은, 엄청 몰입한 눈빛으로 진우를 보며
연필화를 그리고 있다.

하은의 에너지에 압도당한 듯, 땀을 흘리며 숨도 편히 쉬지 못한 채
앉아있는 진우.
얼굴부터 목에 걸린 목걸이까지 윤곽선을 그려놓고, 부분적으로
하나씩 완성시켜 나가는 하은의 스타일.
진우의 눈과 콧대까지 완성한 그림이지만, 실제 얼굴과 꽤 닮아 있다.
다소 지친 듯 연필을 내려놓고, 테이블 위에 올려 둔 디지털카메라로
사진을 찍는 하은.
조용히 사진의 진우와 그림 속 진우, 실제 진우를 번갈아 보는 하은.

하은	(무표정하게 보다가) 나.. 너 좋아해.
진우	....응?
하은	누굴 좋아하면.. 먼저 용기 내야 된대.
	나 용기 내서 말하는 거야, 지금.

35. 라이브 클럽 / 밤 (과거) 2004년 7월 (17세)

무대 위에서 락 음악 공연하는 리드 기타 기훈과 그의 밴드.
알록달록한 컬러의 배꼽티를 입고, 음료와 술을 파는 바에서
아르바이트하는 미소.
입구 쪽 누군가를 발견하곤, 재빨리 숨었다가 선글라스를 쓰고
일어선다. 다가오는 하은과 진우.

하은	웬 선글라스? 보여?
미소	(말없이 귀엽게 손만 흔든다)
하은	(진우 가리키며) 내가 저번에 얘기했지. 함진우.
진우	안녕하세요.
하은	내 제일 친한 친구 안미소. 동갑이니까 말 편하게 해.

여전히 선글라스 낀 채 손만 흔드는 미소.

진우는 뭔가 낯익은 느낌인데..

하은이 화장실 다녀오겠다며 자리를 뜨자, 홀로 남겨진 진우가 일하는
미소를 본다. 미소가 못 본 척 일에만 열중하는데, 진우의 눈에
미소 귀에 걸린 ㅎㅇ귀걸이가 눈에 들어온다.

> **진우**   맞지. 재니스 조플린.
>
> **미소**   (일을 멈추더니, 말없이 선글라스를 벗는다)
>
> **진우**   맞네. (웃으며) 나 사이다 좀.
>
> **미소**   미성년자한텐 음료 안 팔아. 술만 팔아. 만 원.

픽- 웃더니 만 원짜리 건네는 진우. 빤히 보다가 돈을 가져가는 미소.
미소가 보드카와 오렌지 주스, 크렌베리 주스를 지거에 따른 뒤
쉐이커에 넣고 능숙하게 흔든다.

글라스에 붉은색 술을 따라낸 뒤, 청양고추를 잘라서 얹어주는 미소.
진우 앞으로 잔을 내민다.

> **진우**   뭐야?
>
> **미소**   섹스... (한참 있다가) 온 더 청양.

진우, 어이없다는 듯 웃고는 원샷을 한다. 캑캑거리며 잔뜩 얼굴
찡그리면, 미소가 픽 웃는다.

> **미소**   하은이는 너 어디가 좋대냐?
>
> **진우**   (냅킨에 고추 뱉어내고는) ....다 좋대.
>
> **미소**   넌 하은이 어디가 좋은데?
>
> **진우**   다 좋지.

미소	다 좋다고? 그건 그 사람 매력을 모를 때 퉁 쳐서 하는 말이지.
진우	그럼 넌 하은이 어디가 좋은데?
미소	(생각하다가) 음.. 쏙- 돌아볼 때 눈빛.
	웃을 때 보이는 앞니 두 개.
	하품할 때 맺히는 눈물. 오른쪽 볼에 난 점.
진우	하은이 볼에 점 없는데?
미소	있어.
진우	없거든.

말없이 그냥 웃는 미소. 그때 연주를 마친 무대 위의 기훈이 멘트한다.

| 기훈 | 다음 곡은요, 특별히 저희 밴드의 뮤즈를 모시겠습니다. |
| | (미소 보며) 안미소! 컴! |

미소가 안 된다며 가운데 손가락을 올리자, 기훈이 오히려 객석의
박수를 유도한다. 어쩔 수 없이 앞으로 나가는 미소.
무대 위로 올라가자 기훈이 미소의 귀에 대고 뭐라 이야기한다.
잠시 후 〈Me & Bobby Mcgee〉 전주가 시작되고, 미소가 스트레칭을
하며 몸을 푼다.

(cut to) 화장실에서 돌아오는 하은. 무대 위에서 밴드 멤버들과 함께
신나게 노래하고 있는 미소를 발견한다.
'..Good enough for me and my Bobby McGee.. Nanana~~'
흥겹게 춤추며 자유롭게 노래하는 미소.

| 하은 | ...내 친구 멋있지? |

진우	독특하네.
하은	난 가끔 미소가 부러워.
진우	뭐가?
하은	자유롭잖아. 근데 의외로 섬세하고.

진우가 슬쩍 하은의 옆얼굴을 훔쳐보면, 오른쪽 볼에 미세하게 아주 작은 점 하나가 보인다.

36. 하도 해변 / 낮 (과거) 2005년 8월 (18세)

세로로 찍히는 디카 동영상 촬영 화면.

나시와 반바지 입은 채 바다를 달려 바다로 점프하는 진우. 풍덩!

악어 튜브와 함께 비명 지르며 뛰어드는 하은. 악세사리가 잔뜩 달린 휴대폰으로, 진우와 하은의 동영상을 찍어주는 미소.

빨리 들어오라며 손짓하는 하은과 진우.

/ 튜브 위의 하은을 바다에 빠뜨리는 진우. 카메라를 든 미소가 그런 진우를 물에 빠뜨리며 논다.

/ 파란 하늘과 에메랄드빛 바다. 깔깔대며, 뜨거운 햇빛 아래 수영하는 세 사람의 모습들.

37. 삼나무 도로 / 낮 (과거) 2005년 8월 (18세)

삼나무가 쭉 뻗은 도로. 땀 뻘뻘 흘리며 진우가 자전거의 속도를 내고 있다. 뒤에서 스쿠터 소리가 들리자, 뒤를 돌아보는 진우. 더 힘을 내서 페달을 밟는다. 있는 힘을 다하는 진우 옆을 너무도 여유롭게 추월해 지나가는 미소와 하은의 스쿠터. 더 힘을 내며 다시 미소와 하은을 따라잡는 진우. 헉헉대며 힘들어하면,

하은	진우야! 괜찮아?
진우	(애써 웃으며) 괜찮아!
미소	진우야. 힘내!

윙크하며 속력을 내는 미소. 진우의 자전거를 가볍게 추월해 저만치 앞서간다.

38. 체오름 숲길 / 낮 (과거) 2005년 8월 (18세)

깊은 숲길을 앞장서 걸어가는 미소. 진우는 지친 하은의 손을 잡고 걸어온다. 숨이 턱까지 차오른 하은이, 숲길에 버려진 의자에 철퍼덕 앉는다.

하은	하아. 죽을 거 같아.
	난 여기서 좀 쉬고 있을 테니까 둘이 갔다 와.
진우	같이 가자. 가서 소원 빌어야지.
미소	그래. 여기 오자고 한 사람이 누군데. 같이 가자앙~
하은	아냐. 나 대신 빌어줘. 대학 좀 붙게 해달라고.
미소	(진우에게) 그럼 니가 여기 있어.
	내가 두 사람 소원까지 빌고 올게.
	간다! (달리려고 하는데)
하은	미소야!

뒤돌아보는 미소. 그 순간, 하은이 카메라로 사진을 찍는다.
햇볕이 렌즈 통과하며, 찰칵! 찰칵!
(★ 씬 2에 등장한 미소의 그림과 동일한 장면)

미소	뭐야.. 허락도 없이?
하은	(보다가) 행복해 보여서.
미소	그렇긴 하지. 간다! (촐싹대며 뛰어가면)
하은	진우야. 같이 가줘. 쟤 까불다 다칠 거 같아.
진우	(머뭇거리면)
하은	(떠밀며) 빨리..

39. 체오름 동굴 / 낮 (과거) 2005년 8월 (18세)

나무들을 헤치며 가는 진우. 길 없는 숲을 빠져나오자 마치 넓은 공터처럼 생긴 분지가 보인다. 그 분지 끝에 위치한 동굴. 진우가 다가가 내려다보면 급격하게 경사진 거대한 동굴이 보인다.

> 진우   미소야! ...안미소!

메아리치는 진우의 목소리. 아무도 보이지 않는 동굴.

(cut to) 스산한 동굴 내부. 천연바위 위에 만든 제단과 그 위에 놓인 돌탑과 촛대들. 돌탑 위에 작은 돌을 올려놓는 진우. 목에 걸려있던 목걸이를 옷 밖으로 꺼내더니 기도를 드린다.
눈 감고 기도하는 진우 얼굴 앞으로, 난데없이 분홍색 키플링 고릴라 인형이 슬금슬금 나타난다. 진우의 얼굴 바로 앞에서 놀리듯 대롱거리는 분홍색 고릴라.

> 미소   (off) 너의 소원이 무엇이냐?

난데없는 미소의 목소리에 놀라며 눈을 뜨는 진우.

나뭇가지에 매달린 채, 눈앞에서 대롱거리고 있는 고릴라.

| 미소 | (off) 참된 소가 되고 싶은 것이냐?
| | 내 오늘 그 소원을 이뤄주겠다. 야발라바히야 야발라...
| 진우 | 재미없어. 빨리 나와.

그제야 제단 바위 뒤에서, 빼꼼- 얼굴을 내미는 미소.
바위를 돌아 나오는 미소를 보며, 어이없다는 듯 웃는 진우.
제단 앞에 서는 미소. 나뭇가지에 매단 고릴라 인형을 빼내더니
제단 위, 돌탑 옆에 올려놓는다.
눈을 감고는 무척이나 진지하게 기도하는 미소. 입술을 움직이며
중얼거리듯 소원을 빈다. 그런 미소의 얼굴과 중얼대는 입술을
가만히 보는 진우. 그때 미소가 눈을 뜨고, 눈이 마주치는 두 사람.
잠시 어색하게 서로를 본다.
어색함을 깨려는 듯 고릴라 인형을 가져오는 미소.

| 진우 | ...그게 니 수호신이야?
| 미소 | (고릴라 가져오며) 그래주면 좋겠는데 별로 신통치 않네.
| | (진우 목걸이 가리키며) 넌? 그건 뭐길래 맨날 하고
| | 다니냐?

옷 밖으로 삐져나와 있던 진우의 목걸이.
균열 자국이 보이는 예사롭지 않은 모양의 나무 조각 펜던트.

| 진우 | 아, 이거.. 벽조목이라고..
| | 벼락 맞은 대추나무로 만든 목걸이.
| 미소 | 벼락?

진우	응. 벼락 맞은 나무가 액운을 막아준대.
	엄마가 그러는데, 나 어릴 때 아파서 죽을 뻔했는데
	이거 걸고 나았대. 그래서 차고 다녀.
미소	(관심 보이며) 오... 그럼 이게 널 살린 거네?
진우	(웃으며) 하은이도 그 말 했는데. 똑같이 말하네.
미소	...봐도 돼?

진우 고개 끄덕이자 신기한 듯 벽조목을 만져보는 미소.
그런 미소를 가만히 보는 진우.
벽조목에 정신이 팔려 있다가 시선을 느낀 미소.
어색한 분위기를 느끼고 물러서려는데 진우가 미소의 팔을 잡는다.
긴장한 채 서로를 바라보는 두 사람. 정적 이어지고...
진우가 미소를 보다가, 천천히 다가간다. 무표정하게 진우를 보는
미소. 가까워진 둘의 입술. 닿을 듯 말 듯한 거리에서 새근새근 숨만
쉬는 두 사람. 진우가 눈을 감고 앞으로 다가가면-,
입을 맞춘 두 사람의 모습이 거대한 동굴 안 실루엣으로 보인다.

40. 체오름 동굴 앞 / 낮 (과거) 2005년 8월 (18세)
동굴 아래에서 올라와 서서히 모습을 드러내는 미소와 진우.
조금은 어색해진 두 사람의 표정. 동굴 맞은편에서 걸어오는 하은.
이제 막 동굴에서 나오는 두 사람과 만난다.

하은	(웃으며) 천천히 오니까 올만 하네. 내 소원까지 빌었어?
미소	응... 가자. (고개 숙인 채 지나친다.)

41. 숲길 초입 / 늦은 오후 (과거) 2005년 8월 (18세)

숲길 초입에 세워 둔 진우의 자전거와 미소의 스쿠터.
스쿠터 타이어 공기압이 빠졌는지 물렁해져 있다.

하은   탈 수 있을까? 위험할 거 같은데.

진우   (바퀴 만져보며) 둘이 내 자전거 타고 가.

         내가 살살 몰고 가볼게.

미소   (바퀴 툭 차며) 됐어. 내가 타고 갈게. 내 꺼잖아.

42. 도로 / 초저녁 (과거) 2005년 8월 (18세)

홀로 천천히 스쿠터를 몰고 가는 미소.
앞을 보면 자전거에 함께 탄 진우와 하은이 보인다.
가만히 바라보던 미소가 속도를 내더니, 진우와 하은의 자전거를
따라잡는다.

미소   타이어 괜찮은 거 같은데? 나 먼저 간다!

다시 속도를 내는 미소. 금세 저만치 앞서간다.
홀로 멀어지는 미소의 스쿠터. 진우의 뒤에 탄 하은, 점점 멀어지는
미소의 뒷모습 바라본다.

43. 제주항 부두 입구 / 낮 (과거) 2005년 9월 (18세)

부두에 정박한 거대한 여객선. 승객과 승선 차량들로 북적이는 항구의
다양한 모습들. 크루즈 선적을 기다리기 위해 늘어선 차량들 사이로
미소와 하은이 걸어가고 있다.

차들과 사람들 사이를 헤치고 걸어가는 미소와 하은.

하은	그 남자가 좋아? 학교도 그만두고 갈 만큼?
미소	(잠시 생각하다가 말없이 고개 끄덕인다)
하은	그렇다고 이렇게 갑자기 가는 게 어딨어.
	제대로 설명도 안 해주고..
미소	나 이제 서울 가고 싶어서 그래.
	그리고 그 사람이 내가 필요하대.
하은	넌? 너도 그 사람이 필요해?
미소	나한테 잘해 줘. 그리고 아는 선배가 하는 미술학원에서
	나 그림도 배우게 해준대.
하은	(보다가) ...그게 이유의 전부야?
미소	(말없이 바라보면)
하은	...응?
안내방송	(off) 뉴스타호 차량 선적이 지연되고 있습니다.
	아직 선적하지 않은 차량과 승객분들은 빠른
	선적 부탁드립니다.

그때 앞쪽에서 대기 중인 기훈의 승합차가 경적을 울린다.

기훈	미소야, 빨리 타!
미소	응! (하은 보며) 갈게.
하은	물었잖아. 그게 떠나는 이유의 전부냐고.
미소	(눈물 참으며 말없이 하은 보다가) 그럼 나.. 가지 말까?
하은	...... (선뜻 대답 못 하고 망설인다)
미소	...... (말없이 보면)
기훈	(off) (경적 소리 들리며) 안미소, 빨리!

말없이 보던 미소가 하은을 안아주고는,
길게 늘어선 차들 사이를 달려간다.
멍하게 보던 하은이 옆으로 걸어가 보면,
기훈 차 조수석에 탄 미소가 고개를 내밀어 하은을 찾고 있다.
그 모습을 본 하은이 차량들 사이로 달려간다.
대기 차량들 옆을 달려서 미소가 탄 승합차로 온 하은.
울먹이며 미소의 손을 잡는다.

하은	다시 올 거지?
미소	그럼. 왜 다시 못 볼 사람처럼 그래. 그만 울어. 응?
하은	(자꾸 눈물 흐른다) 연락 자주 해야 돼. 알았지?
미소	알겠어. 나 없다고 울지 말고!

기훈의 승합차가 앞차와 간격이 벌어지자,
인도요원들이 빨리 승선하라고 소리친다.

기훈	가야 돼. (하은에게) 출발할게요!

출발하는 차량.
미소가 창문을 더 열고 상체를 바깥으로 내밀며 손을 흔든다.
그때, 미소의 목에서 툭, 미끄러져 나오는 무언가.
따라서 걸어가다 무언가를 발견하고, 걸음을 멈추는 하은.
점점 표정이 굳어진다.
꼬인 가죽 줄... 미소의 목에서 흔들리는 진우의 벽조목 목걸이!
멍한 표정의 하은. 뭐라고 할 사이도 없이 여객선 안으로
사라지는 미소의 승합차.

(cut to) 기훈의 승합차가 여객선 안으로 들어오자, 조수석에 제대로 앉는 미소. 고개를 숙이다 밖으로 삐져나와 있는 벽조목 목걸이를 발견한다. 뭔가를 생각하다가, 뒤를 돌아보면-

(cut to) (느린 화면) 멍한 표정으로 여객선을 보고 있는 하은. 차례로 여객선 안으로 들어가는 차량들과, 하은에게 빠지라고 손짓하며 다가오는 인도요원. 자꾸만 흘러내리는 눈물. 여객선을 뒤로 하고 돌아서 눈물 흘리며 걸어 나가는 하은의 얼굴 보이며-

> **하은(NA)**　　기억나? 니가 예전에 책에서 보고 해줬던 얘기.

44. 여객선 / 낮 (과거) 2005년 9월 (18세)

항구를 떠나는 여객선의 모습과 난간에 기댄 채 바다를 바라보는 미소의 얼굴.

> **하은(NA)**　　태양이 안심하고 빛날 수 있는 건 그림자 때문이라고
> 　　　　　　했잖아.

45. 세화 리조트 폐건물 / 낮 (과거) 2005년 9월 (18세)

바다가 보이는 풍경. 세화 리조트 건물 2층 테이블 위에 홀로 앉아있는 하은. 눈물 흘린다.

> **하은(NA)**　　비록 한 몸은 못 되지만, 멀리서라도 떠나지 않는
> 　　　　　　그림자가 있어서 태양은 평생 외롭지 않게
> 　　　　　　빛날 수 있는 거라고.

그날.. 그 얘기가 문득 생각났어.

46. 미소 방 / 밤 2020년 10월 (33세)

'.....그 얘기가 문득 생각났어.'

블로그의 마지막 글귀를 보는 현재의 미소.

아이가 뒤척이자, 노트북을 들고 아이가 누워있는 침대로 온다.

힘없이 놓인 아이의 손바닥에 손가락을 올려놓자, 잠결에도 손을

꼭 쥐는 아이. / 침대에 기댄 채 블로그의 다음 글을 클릭하자,

2006~2009 - 편지 글이 펼쳐진다.

47. 편지 몽타주 1 (과거)

2006년 4월 (19세) 서울. 산동네 집. 부동산 아주머니와 함께

가파른 계단을 오르는 미소. 꼭대기의 전망 좋은 낡은 집.

내부로 들어서면 더 낡은 텅 빈 공간이 보인다. / 서울 라이브클럽.

입구에서 손님들 손목에 도장을 찍어주는 미소. / 락 공연하는

기훈 밴드와 무대 아래에서 칵테일 나르고, 주방 뒤편에서 맥주를

가져오는 미소. / 공연 중인 시끄러운 라이브클럽 한편에서

편지를 쓰는 미소.

미소(NA)   그동안 전화 못 해서 미안해. 바보같이 휴대폰을

잃어버렸다. 아, 그리고 나 오늘 드디어 월세 집 얻었어.

밤엔 기훈이 공연하는 클럽에서 일하고,

낮에는 그림 배워. 몸이 좀 힘들긴 한데 그래도 괜찮아.

이제 시작이니까.

2006년 4월 (19세) 하은 집 우체통 앞. 하은이 미소의 편지를 꺼내
그 자리에 서서 읽는다.

2006년 11월 (19세) '2007학년도 대학수학능력시험 제주시
교육청 3지구 제2시험장' 현수막 달린 교문.
/ 학생들 틈의 하은. 긴장된 분위기에서 손에 손을 거쳐 건네지는
시험지와 OMR카드.
/ 수리 영역을 보는 하은. 시험지 한편에 빼곡히 수식을 적고,
OMR카드에 정성스레 마킹을 하는 하은.

> 하은(NA)   편지 보낼 주소가 생기니까 넘 좋다.
> 난 수능을 봤는데 무슨 과를 가야 될지 모르겠어.
> 아빠도 진우도 내가 선생님이 되면 좋을 거래.
> 그렇게만 되면 걱정은 없겠지만.. 재미도 없겠다.
> 미소야. 딱 하루 보는 시험으로 미래가 결정된다는 게
> 이상하지 않아?

2007년 3월 (20세) 입시 미술학원. 스톱워치를 두고 가열차게
정물 수채화 그리는 입시생들 보는 미소.
기초 데생이 한참 부족한 미소의 그림. 학원 원장이 어이없다는 듯
비웃고 지나가면, 노려보는 미소.
/ 이젤과 캔버스 등의 짐을 잔뜩 들고 산동네를 오르는 미소.
/ 방으로 들어와 작업대를 설치한 뒤, 유화 물감으로 캔버스에 색을
칠하기 시작한다.

> 미소(NA)   그니까. 다들 그 하루를 위해서 인생의 전부를 갈아 넣어.
> 나 다니는 미술학원도 마찬가지야. 하나같이 그냥
> 다 똑같고 답답해.

그래도 나 여기 와서 처음으로 칭찬이란 걸 들었어.

내 그림이 독특하고 개성 있대. 그러니까 하은아.

너 끌리는 대로 살아. 니 재능 믿고.

2007년 4월 (20세) '07학번 새내기를 환영합니다' 현수막.

팔짱 끼고 캠퍼스를 걷는 하은과 진우.

/ '교육학 개론' 강의 듣는 하은. 진지하게 필기하는 듯 보이지만 실은
노교수 얼굴 그림을 그리고 있다. 그림 그려진 페이지를 완전히 펴면,
빼곡하게 그려진 하은의 낙서들로 가득한 노트.

/ 의과대 농구 동아리 게임. 진우가 상대를 제치고 멋있게
레이업 숏 하면 골대로 들어가는 공. 세레모니 하는 진우.

환호하는 친구들 사이에 앉은 멍한 표정의 하은.

홀로 다른 생각에 빠져 있다.

하은(NA)	대학에 오면 많은 게 달라질 줄 알았는데, 막상 난 똑같아.
	수업은 늘 지루하고, 난 맨날 낙서만 해.
	진우는 동아리 들어가서 친구도 많이 사귀던데..
	나만 재미없는 사람처럼 느껴져.
	네가 점점 멀리 가는 거 같아서 그런가..
	나만 계속 제자리를 맴도는 거 같아.

2008년 12월 (21세) 크리스마스이브.

유니폼을 입고 클럽에서 서빙하는 지친 얼굴의 미소.

/ 쓰레기 버리러 나온 미소. 구석에서 키스하는 남녀를 발견한다.
기훈과 서빙하는 여자 후배다. / 영업 끝난 클럽으로 들어간 미소.

기훈의 전자기타를 때려 부순다. 접근 못 하고 바라보는 사람들.

/ 눈 화장이 번진 얼굴의 미소. 가방을 챙겨 클럽을 떠난다.

미소(NA)   그래도 난 서울 오길 잘한 거 같아.

여기서 정말 많은 사람들을 만났거든. 다들 날 좋아해주고

자극도 많이 돼. 자유롭게 사는 사람들 모습 보면서 정말

많이 배웠다. 나.. 앞으로 여행도 많이 하고, 그림도

정말 제대로 그려볼래.

2008년 12월 (21세) 하은 방. 미소의 미니홈피를 열어보는 하은.

고등학교 시절 해맑은 얼굴의 미소 대문 사진.

미소의 미니미는 텅 빈 미니룸 한 가운데에 아기 팬티만 입은 채

뒤돌아 서 있다. / 하은 방. 빨간색 캐비닛 상자를 열자 어릴 적

각종 낙서와 그림들이 나온다. / 초등학교 때부터 대학 때까지

그린 수많은 그림들. 그리고 수많은 몽당연필들.

하은(NA)   니가 여행하면서 그림 그리는 상상을 하면 기분이

좋아져.

나한테도 뭔가 용기 같은 게 막 생겨나는 기분?

좀 창피한데... 나도 너처럼 다시 그림 시작해볼까?

미소(NA)   나 지금 어디게?

/ 2009년 1월 (22세) MOSCOW, PARIS, BERLIN, MADRID, NEW YORK..

글자들 차례로 보이는, 호텔 월.

/ 로비를 지나다니는 외국 사람들의 모습이 보이고, 다음 화면

이어지면 / 어느 대형 호텔. 메이드 복장을 한 미소. 호텔 청소 도구를

끌고 직원 엘리베이터에 오른다. / 브라이덜 샤워를 했는지 난장판이

된 객실. 팔을 걷어붙이고 구석구석 청소를 하는 미소.

온통 땀범벅이 된 채 문득 고개를 들면, 화려한 도심의 야경..

그리고 창에 비친 미소의 지친 얼굴.

미소(NA)　드디어 출발해. 시베리아 횡단 열차!
　　　　　블라디보스톡에서 모스크바까지 20박도 넘어.
　　　　　중간에 바이칼 호수 보러 알혼섬에도 들르려고.
　　　　　아무래도 긴 여행이 될 거 같아.
　　　　　나 돌아올 때까지 잘 지내야 돼.
　　　　　바이칼 도착하면 엽서 보낼게... 안녕.

48. 제주대 강의실 / 낮 (과거) 2009년 10월 (22세)

수업이 끝나고 강의실 밖으로 나가는 학생들.
하은도 정리하고 나가려는데, 입구에 진우가 와 있다.

(cut to) 빈 강의실에 앉아있는 하은과 진우. 냉랭한 분위기.

하은　그래서? (보다가) 편입까지 확정된 거면 벌써
　　　　결정 난 거잖아.
진우　미안해. 미리 말 못 해서..
　　　　본과만 마치면 어떻게든 다시 올게.
하은　여기선 못 해? 꼭 서울까지 가야 돼?
진우　말했잖아. 우리 학교 의과대 폐지되고 의전원으로
　　　　바뀐다고. 졸업해도 애매해. 이왕 편입할 거면
　　　　서울로 가는 게 더 낫지.
하은　......
진우　하은아.. 너 선생님 되고 싶은 것처럼,
　　　　나 의사 되고 싶었던 거 알잖아.

나 이제부터 정말 잘해보고 싶어.

하은　　　(멍해진 표정으로 진우를 본다)

49. 편지 몽타주 2 (과거)

2010년 3월 (23세) 부유해 보이는 중년 여성의 발톱에 정성스레
네일 케어 해주는 미소. / 고깃집에서 남은 접시들을 치우고,
설거지를 하고, 주방 뒤쪽에서 불판을 닦는 미소.

하은(NA)　　여행은 잘 하고 있어? 진우는 서울에 있는 의대로
　　　　　　　편입 가기로 했어. 그때도 널 못 잡았는데,
　　　　　　　결국 진우도 못 잡을 거 같아.

2010년 3월 (23세) 산동네 집. 꾸벅꾸벅 졸면서도 그림을 그리는 미소.
낯선 번호로 전화가 온다. / 장례식장 빈소. 화려한 원피스를 입은 채
환하게 웃고 있는 미소 엄마의 영정사진.
검은 상복을 입은, 지친 표정의 미소가 영정사진 속 엄마의 미소를
따라 해본다.

하은(NA)　　난 항상 누군가를 떠나보내기만 하네.
　　　　　　　헤어지는 순간들이 나한텐 매번 힘들어.
　　　　　　　어른이 되면 이런 감정들도 무뎌질까?

2010년 3월 (23세) 산동네 집으로 돌아온 미소. 방 여기저기 미완성의
그림들이 널려져 있다. 퀭한 눈빛으로 방구석 침대에 누워 있다가,
벽에 스마일 마크를 작게 그려 넣는다.

하은(NA)　　바이칼 호수엔 잘 도착했어?

니가 보내준다는 엽서 기다리고 있어.

궁금해. 바이칼 호수 앞에 있을 네 모습 말이야.

50. 마을 입구 도로가 / 낮 (과거) 2010년 10월 (23세)

비상 깜빡이를 켜고 서있는 진우 부모님의 승용차.
거리를 두고 진우와 하은이 서 있다.

진우　　　　자주 내려올게. 너도 몸 잘 챙기고.. (바라보며) 울지 말고.

하은을 안아주는 진우. 입을 굳게 다문 채, 눈물을 참으며 말없이
안기는 하은. / 일주 도로 저 멀리 사라지는 승용차. 돌아서서
마을 쪽으로 걸어오는 하은. 자꾸 눈물이 나온다.

51. 하은의 집 마당 / 낮 (과거) 2010년 10월 (23세)

벌겋게 부은 눈으로 힘없이 집으로 들어서는 하은.
마당으로 들어서는데, 고양이 '엄마'와 놀아주고 있는 누군가의
뒷모습이 보인다. 인기척을 느끼고 돌아보면. 퀭한 눈빛, 거친 피부.
이전과는 많이 달라진 분위기의 스물셋 미소다.
하은이 믿기지 않는 듯, 천천히 미소에게 다가가 말없이 본다.
먼저 미소를 지어주는 미소. 그제야 힘껏 미소를 안는 하은.
안긴 채, 슬픈 눈으로 배시시 미소 짓는 미소. 서로의 품에 더 깊게
얼굴을 묻는 두 사람.

52. 하은 집 거실 / 저녁 (과거) 2010년 10월 (23세)

아랫집 마당에서 해녀복 말리는 (예전보다 더 늙은) 할머니가 있는,
하도리의 저녁 풍경.

(cut to) 꽃무늬 방석 위의 고양이 '엄마'. 벽에 걸린 하은과 미소의
어릴 적 사진. 밥상에 둘러앉은 하은 부모와 하은. 고봉밥 가득,
허겁지겁 먹는 미소를 흐뭇하게 본다.

> 하은부   와.. 지집아이가 어떵겅 겁도 없이 혼자 다니냐?
>   너 참 대단하다이.
> 미소   (먹으며) 겁난다고 못 놀러 다니면 억울하잖아요.

미소, 배낭에서 선물을 꺼내 하은 부모에게 내민다.
보헤미안 스타일의 커플 털모자.

> 미소   스페인 집시들이 직접 만들어서 파는 거예요. 예쁘죠?
> 하은모   (써보며) 어마? 이런 거 첨이다, 미소야. 니가 딸보다 낫다.
>   (남편도 씌워주며) 예쁘네..
> 하은   내 껀?
> 미소   (자기 얼굴 꽃받침 하며) 여기!

하은이 콧방귀를 뀌자, 가방에서 봉투를 꺼내 하은에게 주는 미소.
봉투 열면 보이는 러시아어 엽서 세트. 다양한 계절의 바이칼호
엽서들이다. 환하게 웃는 하은.

53. 하은 집 욕실 / 밤 (과거) 2010년 10월 (23세)

예전과 똑같은 하은 집 욕실.
욕조에 몸을 담근 채 피곤한 듯 기대어 있는 미소.
하은이 노크를 하더니 잠옷과 수건을 들고 들어온다.

하은	씻고 이걸로 갈아입어. (옆에 두고 밖으로 나가려는데)
미소	...같이 씻을까?
하은	우리가 얘냐, 같이 씻게?
미소	(웃으며) 그럼 안 씻어도 되니까. 찌찌 보여줘.
하은	(수건 던지며) 뭐래. 변태같이!

하은이 던진 수건을 한 손으로 잡는 미소.
다시 던지면, 수건 피하며 문 열고 나가는 하은.
문 밖에 선 채 기분 좋은 듯 배시시 웃는 하은.
욕실 안에서 비슷한 웃음을 짓는 미소.

54. 제주항 - 부산행 여객선 / 낮 (과거) 2010년 10월 (23세)

미로 같은 철제 계단을 올라가는 하은과 미소. 다 올라서면 탁 트인
갑판이 보인다. / 난간에 기대 아이스크림 먹으며, 디카로 사진을
찍으며 노는 두 사람의 다양한 모습들. 제주항을 떠나는
여객선의 모습이 하늘에서 시원하게 보이며-

55. 부산 각지 / 낮 (과거) 2010년 10월 (23세)

부산항과 도심이 배경으로 보이는 부산 타워 항공 샷.
/ 한눈에 펼쳐지는 부산 시내 전경. 부산타워 전망대를 돌며

전경을 구경하는 하은과 미소. / 미소와 하은을 모델로 캐리커처를
그리는 거리 화가와 완성되는 그림. / 아쿠아리움을 돌아다니며,
커다란 수족관 앞에서 사진을 찍는 하은과 미소. / 사람들로 가득한
국제시장 골목 부감. 어느 점포 앞에서 상인과 흥정하는 하은과 미소.
/ 베토벤〈비창〉리믹스에 맞춰 함께 펌프를 하는 하은과 미소.
녹슬지 않은 현란한 발놀림!

56. 모텔 카운터 / 밤 (과거) 2010년 10월 (23세)
어두컴컴한 모텔 카운터, 쇼핑백과 짐을 잔뜩 들고 모텔로
들어오는 지친 미소와 하은. 술 취한 중년 커플이 낄낄대며 카운터를
지나쳐가고, 모텔 주인이 짜장 먹다가 고개를 내민다.

모텔주인	대실이요, 숙박이요?
하은	(미소 슬쩍 끌어당기며) 여기서 자게?
미소	응. (지갑 꺼내며) 숙박인데 얼마예요?
모텔주인	4만 원요.
하은	(슬쩍 보고는 미소 옷을 끌며) 딴 데 가자.
미소	왜? 여기가 돈이 맞아.
하은	(미소 끌고 나가며) 죄송합니다!
미소	아, 왜에~

57. 호텔 룸 / 밤 (과거) 2010년 10월 (23세)
안락한 호텔 룸으로 들어서는 하은과 미소. 가방을 팽개치고,
침대 위로 누워버리는 하은.

하은	아~ 푹신해. 여기로 오길 잘했지?
미소	(급한지 화장실로 직행하며) 호텔은 니가 냈으니까 저녁은 내가 산다!
하은	그래!
미소	(off) 하은아! 나 가방 안에 생리대 있는데 그것 좀 찾아줘.
하은	응! (일어나며) 배고프지? 저녁 뭐 먹을까?
미소	(off) 삼겹살 어때? 아니면 남포동에 유명한 족발집 있는데 거기 갈까?
하은	(가방 안에서 찾으며) 오늘은 좀 맛있는 거 먹자. 엄마가 비상금 하라고 돈 더 주셨어.
미소	(off) (잠시 말이 없다가) 왜? 족발 별로야?

미소 가방에서 생리대를 찾은 하은.
그런데 가방 안주머니에 있던 가죽끈을 발견한다.
슬쩍 빼내어 보면 진우의 벽조목 목걸이.
멍한 표정으로 목걸이 보다가-,

미소	(off) 찾았어?
하은	(황급히 목걸이 집어넣고는) 응!

화장실 안으로 생리대를 넣어주는 하은. 화장실 문 닫히자,
바닥에 놓인 미소의 가방을 바라본다.

58. 호텔 바 & 레스토랑 / 밤 (과거) 2010년 10월 (23세)

서버의 안내를 받아 호텔 레스토랑으로 들어서는 미소와 하은.
고급스럽고 비싸 보이는 레스토랑의 분위기. 낯선 듯 주변을

두리번거리며 자리에 앉는 미소. 안내받은 자리에 앉아 메뉴판을 펼쳐
보면, 4~5만 원대 파스타와 10만 원대 스테이크 메뉴들.

미소	(낮게) 딴 데 가자. 여기 가격 완전 사기야.
하은	그냥 먹자. 이럴 때 기분 내는 거지.
	언제 이런 데 와보겠어.
미소	밖에서 먹으면 배 터지게 먹어도 여기 반값도 안 돼.
하은	걱정 마. 내가 보태서 낼게. 그냥 먹자.
미소	호텔비도 니가 냈잖아. (잠시 생각하다 주변 둘러보더니)
	...잠깐 있어 봐.

잠시 무언가 생각하다가, 자리에서 일어나 야외 테라스 쪽으로 가는
미소. 하은이 돌아보면, 파티 중인 양복 입은 남자들에게 다가가
뭔가 이야기하는 미소의 모습 보인다. 양주와 토닉워터 등을 쉐이커에
넣고 섞기 시작하는 미소. 화려한 손기술로 쉐이킹을 하자,
휴대폰으로 사진 찍으며 환호하는 양복남들. 던지고, 돌리며
칵테일을 만들어 여러 잔의 술을 따라내면, 양복남들이 좋아하며
잔을 돌린다. 술 취한 중년 상사가 맥주잔 가득 와인을 따라
미소에게 건네면, "원샷! 원샷!" 외치는 부하 직원들.
하은의 시선으로, 원샷하는 미소의 모습이 보인다. 사진 찍으며
환호하는 남자들. 굳어지는 하은의 표정. 잠시 후, 벌게진 얼굴을 한 채
와인 한 병을 들고 오는 미소.

미소	(와인 내려놓으며) 이거 12만 원짜리래.
	우리도 기분 내야지.
하은	....지금 뭐 한 거야?
미소	뭐가?

하은	(정색) 저 사람들 모르는 사람들이잖아.
미소	어차피 쟤네 돈 쓰려고 여기 온 거야.
	잠깐 분위기 띄워주고 가져온 건데, 왜?
하은	(미소 얼굴 빤히 보다가) 모르는 사람들이잖아.
	모르는 사람한테 왜 술을 얻어먹어.
미소	....얻어온 거 아냐. 내가 일한 대가로 정당하게
	받아온 거지.
하은	너 여기 일하러 왔어? 우리끼리 놀러 온 거잖아.
미소	(기분 상한 듯 보다가) ...몰랐구나. 나 원래 이렇게 살아.
하은	미소야...
미소	내가 얘기 안 했나? 나 예전에 배가 고픈데
	돈이 없는 거야. 그래서 천 원씩 받고 프리 허그를 했다?
	물론 공짠 아니니까 힐링 허그라고 써서. 세 시간 하고
	얼마 모인 줄 알아?
하은	(불편한 듯) 알겠어. 그만해.
미소	오만 원 모이더라. 그래서 혼자 소고기 사먹었다.
	이것도 얻어먹은 거야?
하은	너 어디 가서 그런 얘기 함부로 하고 다니지 마.
미소	왜. 내가 창피해? (보다가) 넌 죽었다 깨나도 몰라.
	내가 어떻게 살아왔는지..

둘 사이에 미묘한 기류가 흐르는데, 아까 양복남 둘이 다가온다.

양복남 1	안녕~ (하은 보며) 친구도 술 잘 마시나?
	주량이 어떻게 돼요?
하은	가세요.
양복남 1	(히죽거리며) 어, 뭐지? 이 공손한 매너는?

　　　　　　　　틩기니까 더 귀엽네.

하은　　　저 남자친구 있으니까 가시라고요.

양복남 2　(혀 꼬인) 헤헤.. 난 마누라도 있는데?

미소　　　그만하고 가요. 둘이 할 얘기 있으니까.

양복남 2　넌 왜 갑자기 딱딱하게 구세요?

　　　　　　　아깐 와서 온갖 아양을 다 떨드만. 같이 놀자아~

미소　　　(순간 돌변하며) 그냥 가라고 새꺄.

　　　　　　　병 깨서 확 얼굴 그어버리기 전에.

갑자기 싸해진 분위기. 하은도 낯선 표정으로 미소를 본다.
미소가 서늘한 눈으로 노려보자, 술 덜 취한 양복남 1이 양복남 2를
데리고 간다. 애써 평정심 유지하려는 굳은 얼굴의 하은,
메뉴판을 편다.

하은　　　뭐 먹을래? 난 스테이크 시킬게.

미소　　　무슨 스테이크야. 내가 와인 가져왔으니까 피자나
　　　　　　　하나 시켜. 내가 살게.

하은　　　(지나가던 직원 부르며) 여기요!
　　　　　　　안심 스테이크 2인분 주세요.

미소　　　술집에서 무슨 스테이크야. 가격도 순 바가진데.

직원 메뉴판 들고 가자 쓴 입맛 다시는 미소, 자조적으로.

미소　　　하.. 이번엔 또 어디 가서 스테이크 얻어 와야 되나?

하은　　　미소야. 자꾸 왜 그래..

미소　　　(보다가) 난 니가 호텔비도 냈으니까...
　　　　　　　밥 정도는 내가 사고 싶었어.

근데 내 사정 뻔히 알면서 호텔 와서

무슨 스테이크를 시키냐고!

하은   지금은 내가 돈이 있어서 사는 것뿐이잖아.

친구 사이에 무슨 계산을 따져.

미소   계산? 넌 안 따졌어, 계산?

쳐다보는 주변 사람들. 서로를 노려보는 하은과 미소.

그때 테이블 위 하은의 휴대폰이 울린다.

화면 위에 뜨는 진우와 하은의 커플 사진.

미소, 자리에서 일어날 준비를 하며,

미소   받아. 자리 비켜줄 테니까.

하은   (전화 끊어버리곤) 니가 왜 자리를 비켜?

미소   진우 전화잖아. 편하게 받으라고.

하은   진우 전환데 니가 왜 자리를 비켜 주냐고.

너랑 아무 상관없는 전화잖아. 뭐 찔리는 거 있어?

미소   ....거 봐. 너 이렇게 계산하고 있잖아.

겉으론 순진한 척 웃고 있으면서, 속으론 하나하나

다 계산하고.

찔리는 거 있는 사람.. 내가 아니라 너 아냐?

하은   무슨 소리야? (눈물 글썽이며 노려본다)

미소   내가 기훈이 따라서 서울 간다고 했을 때.

겉으론 울고불고했어도, 속으론 기뻐했잖아.

...아냐?

글썽이며 노려보다가 자리를 박차고 나가버리는 하은.

59. 호텔 룸 / 새벽 (과거) 2010년 10월 (23세)

눈을 뜬 채 침대에 돌아누워 있는 하은.
문이 열리고 미소가 안으로 들어선다.
짐을 챙긴 뒤, 잠시 하은을 보다가 밖으로 나간다.

60. 호텔 복도 / 새벽 (과거) 2010년 10월 (23세)

맨발로 호텔 복도를 뛰어나오는 하은.
긴 복도를 지나고 코너를 돌아 달려오면,
이제 막 엘리베이터에 올라타는 미소가 보인다.
버튼을 누른 뒤돌아서는 미소.
맞은편 복도에서, 자신을 발견한 하은과 눈이 마주친다.
글썽이는 눈으로 서로를 보는 하은과 미소. 엘리베이터 문이 닫힌다.
빈 복도에 덩그러니 남겨진 맨발의 하은.

61. 미소 방 / 새벽 2020년 10월 (33세)

하은의 시선을 받는 듯한 미소의 얼굴. 침대 위, 멍한 시선으로
노트북을 본다. '2012년 가을'이라는 제목을 클릭하자, 아무 글자도
없이 그림 하나만 스캔되어 올라와 있다. 왼팔에 깁스를 한 채
바닥에 앉아있는 여자 뒷모습의 연필화. 뒤쪽 어깨로 보이는 스마일
마크 문신. 그 그림을 보며 무언가를 떠올리는 미소.

62. 카페 / 낮 (과거) 2012년 9월 (25세)

미소　　　　결국 사모님들이 제일 우려하시는 부분이

토지 확보율이잖아요.

95프로 이상 소유권이 넘어와야 사업 승인이

나는 거니까. 근데 어제까지가 딱, 93.7프로거든요.

테라스형 아파트 브로슈어를 펼치고, 3명의 중년 여성들에게
분양 상담 하고있는 여자의 뒷모습.
서서히 앞모습 보이면, 몰라보게 성숙해진 정장 차림의 미소가 보인다.

중년녀   근데요. 그냥 일반 분양 기다리는 게 안전하지 않을까?

미소   말씀드렸잖아요. 95프로 되기 전에 조합 가입을 해야
분양가 혜택 보실 수 있다고. (웃으며) 아시잖아요.
저도 여기 두 채 투자한 조합원이에요.

미소가 앉아있는 옆쪽 유리창.
조심스레 다가오는 누군가의 모습이 유리창에 반사되어 보인다.
미소 시선 느끼고 돌아본다. 잠시 멍하게 올려다보는 미소.

(cut to) 보다 성숙해진 외모의 진우. 미소가 매니큐어 칠한 손으로
담배를 꺼내 문다.

미소   사무실이 이 건물 바로 위에 있어.

진우   아.. 무슨 일 하는데?

미소   주로 분양 상담 하는데, 그건 사이드 잡이고.
주력은 투자 쪽. 목돈 만지려면 큰돈 굴러가는
길목에 있어야 되니까.

미소, 담뱃불 붙인다. 낯설게 변한 미소의 모습을 가만히 바라보는 진우.

미소의 목에는 아직도 벽조목 목걸이 줄이 걸려 있다.
미소에게 전화가 걸려 온다. '한울 A&D' 사무실 번호를 확인하고는
통화 종료 누르는 미소.

진우	받아도 되는데.
미소	괜찮아. 사무실 전화야. 바로 들어갈 건데 뭐.
	너흰 요즘 어떻게 지내?
진우	하은인 교사 발령 나서 집 근처 학교 다니고 있고.
	난 막 학기라 병원 다니면서 의사고시 준비하고 있고.
미소	....하은이 가끔 서울에 와?
진우	내가 가지. 하은인 비행기 못 타니까.
미소	비행기는 핑계고. 니가 제주도로 오길 바라는 거 아냐?
	(보다가) 너 아직 하은이 잘 모르는구나.
진우	모르긴. 우리가 알고 지낸 시간이 얼만데.
미소	시간이 중요한가. 얼마나 아는지가 중요하지.
진우	(잠시 생각하다가) 너흰? 아직 연락 안 해?

잠시 흔들리는 미소의 눈동자. 대답을 망설이는데.. 그때 미소에게
다시 '한울 A&D' 전화가 걸려 온다.

미소	(휴대폰 보며) 가야겠다. 대표가 찾나 봐.
진우	그래.. 중요한 일이면 먼저 가.
미소	(웃으며) 일 반, 연애 반이지. 대표가 내 남친이거든.
진우	.....
미소	이번에 사업 승인 떨어지고 분양권 처분만 하면 같이
	캐나다 가려고.
	넌? 하은이랑 언제 결혼해?

63. 종달초등학교 교실 / 낮 (과거) 2012년 9월 (25세)

교실 입구. 선생님이 된 하은이 하교하는 2학년 아이들을
배웅해 주고 있다. / 교실 모니터로 자신의 페이스북을 보던 하은.
진우와 함께 찍었던 데이트 사진들 보인다. 맛집, 카페에서 찍은
소소하고 행복해 보이는 사진들.
페이스북 검색창에 '안미소'를 입력해보는 하은.
화면 위로 보이는 수많은 안미소들의 프로필.

64. 카페-거리 / 낮 (과거) 2012년 9월 (25세)

미소   (일어나며) 내년이면 내가 캐나다에 있을 때라 못 가겠네.
        하은이한테 축하한다고 전해줘. 나 먼저 갈게.

명품 핸드백을 들고 카페를 나가는 미소. 진우가 나가는 미소의
뒷모습을 보는데, 카페 건물 앞 도로로 경찰차와 구급차가 사이렌을
울리며 도착하는 모습이 보인다. / 밖으로 나온 미소.
건물로 뛰어 들어가는 경찰과 소방대원을 멍하게 바라보다가
건물을 올려다본다. 건물 안으로 황급히 뛰어 들어가는 미소.
카페 안에서 그런 미소를 보는 진우.

65. 종달초등학교 교실 / 낮 (과거) 2012년 9월 (25세)

하은, 수많은 안미소를 드래그해 보지만 미소의 페이지는 보이지
않는다. 무슨 생각이 들었는지, 한글로 '재니스 조플린'이라는 이름을
검색해 보는 하은. 딱 한 명 검색되어 나오는 개인 페이지.
클릭하고 들어가면 보이는 사진들... 미소다.

재력가처럼 보이는 인상 좋은 30대 남자(백종필)와 찍은 데이트
사진들. 호텔과 고급 레스토랑 등에서 찍은 화려한 모습.
애써 과시하듯 보이는 미소의 낯선 표정들.

66. 건물 복도~사무실 / 낮 (과거) 2012년 9월 (25세)

엘리베이터 문이 열리고, 건물 복도에 내리는 진우. 복도에는 사람들이
웅성거리며 서 있다. 진우 천천히 앞으로 가면, 〈한울 A&D〉이라는
금장 간판과 각종 개업 화환이 복도로 이어져 있고, 구경하는 사람들이
보인다. 그때 사람들 너머 사무실 입구에서 들리는 미소의 절규.
진우가 가까이 다가가면, '봐, 이거 봐!' 막아선 경찰들 너머로
들어가겠다고 몸부림치는 미소와, 그 너머 반쯤 열린 대표실 문.
그 안으로 보이는 경찰과 소방대원들.. 그리고 공중에 매달린
백종필 다리가 보인다. '못 들어가게 막아!' 순간 미소에게 뚫린 폴리스
라인. 대표실로 들어가려는 미소를 잡는 경찰들. 뛰어들어 말리는
진우. 반항하던 미소가 몸부림치다 팔로 거울을 세게 친다. 쫘-
금이 가는 거울. 경찰에 붙잡히며 바닥에 쓰러지는 미소. 제압당한 채
절규하는 미소 모습이 느린 화면으로 이어진다.

67. 하은 집 / 밤 (과거) 2012년 9월 (25세)

'전원이 꺼져 있어 소리샘으로 연결되며...'
잘 준비 위해 씻고 들어온 하은,
진우에게 전화를 걸어보지만 휴대폰 전원이 꺼져 있다.
다시 카톡으로 메시지를 남기는 하은. '어디야? 통화될 때 전화 줘'

68. 진우 집 / 밤 (과거) 2012년 9월 (25세)

거실 창문으로 거세게 부딪히는 빗방울.
진우 집 거실 소파. 왼쪽 팔에 깁스를 한 채 누워있는 미소.
오한이 드는지 몸을 오들오들 떤다.

미소	(오한 느끼며) 집에 술 좀 있어?
진우	지금 술 마시면 안 좋아.
미소	너한테 처음 술 준 사람 누군지 까먹었어? 추워서 그러니까 좀 줘.

진우가 위스키를 가져와 조금 따라 준다. 단번에 들이켜는 미소.
다시 잔 내민다. 진우가 망설이자, 미소가 뺏어 들더니
잔 한가득 위스키를 따라 벌컥벌컥 들이켠다. 옆으로 쓰러진 뒤
베개에 얼굴을 묻는 미소.

미소	씨발... 지겨워..

미소의 어깨가 심하게 떨리기 시작하고, 고통스러운 울음소리 들린다.
안타깝게 보는 진우.

69. 하은 방 / 아침 (과거) 2012년 9월 (25세)

창밖으로 비가 내리고 있다. 침대에 누워 있다가 깨서 전화를 받고
있는 하은.

진우	(off) 미안....수술 때문에 전화 못 받았어.
하은	아냐. 그냥 목소리 듣고 싶어서..

진우	(off) (잠시 정적) 별일 없지?
하은	맞다.. 나 어제 우리 결혼식 하는 꿈 꿨는데...
	신부 대기실에 니가 웨딩드레스를 입고 있는 거야.
	진짜 웃겼는데.. 깨고 나서 울었다.
	엄청 웃겼는데 왜 눈물이 났는지 모르겠어.
진우	(off) 하은아. 나 할 말 있는데..
하은	...응?
진우	(off) (뜸 들이다가) 아니다... 내가 나중에 할게.

급히 끊어버리는 진우. 무언가 불안한 기운을 느끼는 하은.

70. 진우 집 복도 / 낮 (과거) 2012년 9월 (25세)

엘리베이터 문이 열리자, 진우가 깁스를 한 채 술에 잔뜩 취해 있는
미소를 부축해 온다. 아파트 복도의 코너를 돌아 열쇠를 꺼내려던
진우, 순간 동작을 멈춘다. 문 앞에 웅크리고 앉아 있던 하은.
진우와 미소를 보며 굳은 표정으로 자리에서 일어난다.
뒤늦게 하은을 발견하곤 믿지 않는 눈으로 하은을 보는 미소.
미소가 휘청거리며 걸어오더니, 풀린 눈으로 하은을 보다가 쓰러지듯
품에 안긴다.

미소	하은아.. 보고 싶었어..
하은	(미동 없이, 진우 향해) 문 열어.

진우가 현관문을 열자, 하은이 미소를 안으로 들여보낸다.
들어가려는 진우를 막아서는 하은.
싸늘하게 진우를 보며, 차갑게 문 닫는다.

71. 진우 집 거실 / 낮 (과거) 2012년 9월 (25세)

미소가 몸을 가누지 못한 채 비틀거리며 들어오는 미소.
천천히 뒤따라 들어오는 하은을 보다가 다시 와락 끌어안는다.

미소	(혀 꼬인 채) 얼마 전에... 나.. 애인이 죽었거든.
	걔가 내 돈 다 날려 먹고 죽어서.. 짐도 못 빼고
	집에서 쫓겨났어. 그래서 여기 왔는데...
	근데.. 여기서 너 보니까...
	너무.. 너무... 보고 싶었어...

미소가 술에 덜 깬 채 횡설수설을 하는 동안 여기저기 널린 미소의
물건들을 보는 하은. 명품 핸드백과 립스틱, 파우더 팩트, 스타킹...
미소, 갑자기 구역질이 올라오는지 화장실로 달려간다.

72. 진우 집 욕실 / 낮 (과거) 2012년 9월 (25세)

변기 붙잡고 토악질하는 미소. 흐트러진 미소의 어깨 위로
드러난 스마일 마크 문신. 따라와 미소를 보는 하은. 변기를 붙잡은
미소의 등이 앙상해 보인다. (블로그의 그림과 유사한 장면)
미소 목에 걸린 벽조목 가죽끈을 보는 하은.
갑자기 샤워기를 꺼내더니 미소를 향해 물을 뿌리기 시작한다.
미소 위로 쏟아지는 차가운 물줄기. 미소가 잠깐 놀라더니,
이내 말없이 물줄기를 맞는다.

미소	(눈 감고는) ...하고 싶으면 해...
	너 첨부터 이러고 싶었잖아.
하은	뭐?

미소   지금 진우도 안 보니까 니 맘대로 하라고.

하은   지금 나한테 그런 말이 나와?

미소   제발 다 쏟아내라고. 속으로만 꽁해 있지 말고!

        아님 나 좀 그만 내버려 두든가... 너 땜에 힘들어 죽겠어!

하은   힘들어? 지금 너 때문에 죽고 싶은 사람이 누군데!

샤워기를 던지고, 미소 목에 걸린 벽조목 목걸이를 낚아채는 하은.

하은   니가 조금이라도 내 생각을 했으면...

        아니, 조금이라도 우리 생각을 했으면!

        너 이거 아직까지 이렇게 못 걸고 다녀! 알아?

미소   내가 이걸 왜 걸고 다녔는지... 넌 몰라..

하은   (목걸이 던지며) 그래! 난 항상 모르지! 늘 너만 힘들고,

        너만 이유 있고, 너만 불행하니까! 니 옆에 있는 사람이

        뭐 때문에 힘들어하는지 넌 관심도 없잖아!

하은이 미소에 걸쳐진 레이스 달린 속옷을 집어 들며,

하은   답답하고 불편해서 평생 안 할 거라며?

        그런 애가 이딴 걸 입고 다니니?

        그리고 진우는 이런 거 안 좋아해.

그리고 자신의 셔츠를 벗어젖히면, 하얀색 평범한 브래지어가 보인다.

하은   이런 거 좋아해.. 알아?

미소   (이제 그만하자는 듯 울 것 같은 얼굴로 일어나

        하은의 셔츠를 여며준다)

하은	(미소 손 뿌리치며) 똑바로 보라고!
	진우는 이런 촌스러운 거 좋아한다고!
미소	그만해... 내가 잘못했어.. 하은아.
하은	(덜덜 떨리는 입술로) 너.. 진우랑 잤니?

술이 확 깨는 미소.. 젖은 머리를 정리하며 정신을 집중하려 한다.
떨리는 한숨...

미소	아니야, 하은아...
하은	니가 아는 사람들... 다 너 사랑했을 것 같아?
	니 애인... 너희 엄마... 진우.
	그중에 누구 하나 진심으로 널 사랑했을 거 같냐고!
미소	......
하은	나 말고 없어. 나 말고 이 세상에 널 사랑했던 사람은
	아무도 없다고! 나 없이 넌! 아무것도 아니니까..

비수처럼 꽂히는 하은의 말에 아프게 눈물을 흘리는 미소.

| 미소 | (글썽이는 눈) 그래.. 너 없이.. 난 아무것도 아니지.. |
| | 근데... 우리 왜 이렇게 된 거야? |

분노로 일관하던 하은의 표정이, 그 말을 듣고는 고통스럽게
일그러진다. 자리에 주저앉아 미소의 다리에 얼굴을 묻고 울음을
토해내는 하은. 미소 역시 그런 하은을 보며 눈물을 흘린다.
난장판이 된 진우의 빈 거실엔, 욕실에서 흘러나오는 하은과 미소의
울음소리만 들린다.

73. 진우 집 복도 / 밤 (과거) 2012년 9월 (25세)

현관문이 열리면, 충혈된 눈의 하은이 나온다.
복도에 있던 진우가 하은을 잡지만, 냉정하게 뿌리치고 진우를
지나쳐 가버린다.

74. 진우 집 / 밤 (과거) 2012년 9월 (25세)

진우가 집 안으로 들어오면, 난장판이 되어 있는 화장실.
미소는 헝클어진 채로, 거실에서 자신의 옷과 물건들을 트렁크에 넣고
있다. 미소가 진우를 보고는, 일어나 다가가더니 벽조목 목걸이를
내민다.

75. 체오름 동굴 / 낮 (과거 - 플래시백) 2005년 8월 (18세)

(18살 시절) 동굴 안에서 보이는 미소와 진우의 입 맞춘 실루엣.
눈을 감은 진우의 얼굴이 서서히 일그러진다. 진우의 입술을 앞니로
꽉 물어버린 미소.
"아!" 황급히 뒤로 물러나는 진우. 입술에 손을 대자 미량의
피가 묻어나온다. 당황해하는 진우 보며 낄낄 웃다가, 장난처럼 진우의
정강이를 툭 차는 미소.

미소	(목걸이 가리키며) 그거... 나 빌려줘.
진우	...응?
미소	그 목걸이가 널 살렸다며. 나 왠지 그거 필요할 거 같아서.
	(웃으며) 스물일곱 살까진 죽고 싶진 않거든.

76. 진우 집 / 밤 (과거) 2012년 9월 (25세)

들고 있던 벽조목 목걸이를 진우에게 넘겨주는 미소.

미소 (애써 미소 지으며) 그동안 고마웠어, 진우야. 진심이야.

77. 진우 집 앞 / 밤 (과거) 2012년 9월 (25세)

늦은 밤. 커다란 캐리어를 끌고 나오는 미소. 비척대며 타박타박
걷는다. 아파트 창에 기대 미소 보는 진우. 손에 쥐어진 채 대롱거리는
벽조목 목걸이.

78. 미소 방 / 아침 2020년 10월 (33세)

노트북 켜둔 채 잠이 든 현재의 미소. 깨어난 꼬마 아이.
미소의 얼굴을 보더니, 눈가로 흘러내린 눈물을 조용히 닦아준다.
그때, 미소 휴대폰으로 낯선 번호의 전화가 걸려 온다.
잠든 미소를 보는 여자아이. 문자 메뉴로 들어가
'지금은 전화를 받을 수 없습니다.'라는 문자 회신을 보낸다.

79. 병원 진료실 / 아침 2020년 10월 (33세)

미소의 문자 회신을 확인하는 어떤 남자의 손.
'안미소 010-0000-0000' 이 적힌 메모지와 휴대폰이 놓인 책상.
노트북 앞에 앉는 남자. 정형외과 진료실. 의사 가운을 입고 있는
진우다. 다음 글을 클릭하는 진우... 2012년, 가을.

80. 동물병원 / 낮 (과거) 2012년 10월 (25세)

진찰대 위에 고양이 '엄마'를 검사하는 수의사(여, 30대)의 뒷모습.
'엄마'를 안고 돌아서서 하은을 본다.

수의사	엄마 연세가 올해 어떻게 되시죠?
하은	(생각하다가) 예순... 둘이신데.. 왜요?
수의사	아니, 그 엄마 말고, (고양이 보며) 요 엄마요.
하은	아, 연세라고 하셔서... (웃으며) 열다섯이요.
수의사	요새 주무시는 시간이 많이 느셨죠?
하은	네. 하루에 스무 시간 잘 때도 있어요.
	(웃으며) 근데 왜 자꾸 높임말을 쓰세요.
수의사	높임말 해드려야죠. 어르신인데.
	엄마도 사람 나이로 치면 이제 여든이에요.
하은	...여든이요?
수의사	(끄덕) 이제부턴 접종도 안 하시는 게 나아요.
	신장이나 간에 무리 갈 수 있으니까.
하은	(멍한 표정으로 보면)
수의사	너무 애쓰지 않는 게 가끔 더 나을 때도 있어요.

금방이라도 울 것 같은 표정으로, 기력없는 '엄마'를 보는 하은.

81. 마을 어귀 큰 나무 앞 / 낮 (과거) 2012년 10월 (25세)

고양이 케이지를 들고 마을 길을 걸어오는 하은.
무언가를 보고 멈춰 선다.
큰 나무 그늘 아래에 앉아서 하은을 기다리고 있던 진우.

(cut to) 큰 나무 아래에 케이지를 내려놓는 하은. 진우의 시선을
피하며 걸터앉아 있다.

진우	서울 집 다 정리하고 왔어. 시험도 여기서 준비하려고...
하은	......
진우	이제부터 니 옆에 있을게.. 한 번만 기회를 줘. 응?
하은	진우야...
진우	너한테 미안했던 거. 오해하게 만들었던 거...
	평생 갚으면서 살게.

주머니에서 반지를 꺼내, 하은의 손가락에 끼워주는 진우.
가만히 자신의 손을 바라보는 하은. 불안한 듯 두 사람을 바라보는
고양이 '엄마'.

82. 하은 신혼집 / 낮~밤 (과거) 2013년 7월 (26세)
작은 마당이 있는 예쁜 주택과 그 앞의 이삿짐 트럭.
짐 나르는 인부들.
하은과 진우, 양가 부모님이 함께 찍은 약혼식 기념사진.
이삿짐 인부들이 가구를 나르고 있고, 하은과 진우도 이들을 도와
짐 정리를 한다.

| 하은(NA) | 결혼은 진우 시험 마치는 대로 하기로 하고, |
| | 우린 진우 부모님이 마련해준 집에서 먼저 살기로 했어. |

밤. 커튼을 치는 진우. 남은 짐들을 정리하는 하은을 보다가, 다가가서
조용히 안아준다. 서로 눈이 마주치고 가볍게 키스를 하는 두 사람.

점점 격정적으로 변해가고. / 소파 위. 스탠드 조명 아래에서 키스하며 몸을 섞는 하은과 진우.

하은(NA)   조금 두렵긴 했지. 태어나서 처음으로 집을 떠난 거였으니까.

83. 하은 신혼집 / 낮 (과거) 2013년 7월 (26세)

식탁 위에 수북이 쌓인 청첩장들. 청첩장 봉투에 주소를 붙이다가 수저를 뜨는 진우.

진우   하은아. 우리 여기 살다가 나중에 아이 생기면..
　　　　서울로 갈까?

하은   (찌개 내려놓고 자리에 앉으며) 왜?

진우   연봉 차도 좀 있고... 그리고 좀 더 넓은 데로 나가서 살고
　　　　싶지 않아?

하은   모르겠네. 서울에서 산단 생각을 해본 적 없어서...

진우   그럼 지금부터라도 한번 생각해 볼래?

하은   나 학교는?

진우   전근 가면 되지.

하은   그냥 여기서 살면 안 돼?

진우   여긴 바닥이 작아서 그렇지.. 경험도 쌓고 싶고,
　　　　나중에 개업 문제도 고려해야 되고.

하은   ....생각해 볼게.

진우   (밥 먹으며) 나한테도 이게 꿈이었거든..
　　　　너 선생님 되고 싶었던 것처럼.

밥을 먹으려다 진우의 말을 곰곰이 되새겨보는 하은.
말없이 고개 숙인 채 있다가,

하은	나 선생님 되고 싶다고 한 적 없어.
진우	...응?
하은	나 한 번도 선생님 되고 싶었던 적 없다고.
진우	무슨 소리야. 그럼 사범대는 왜 갔는데..
하은	(조심스럽게) 진우야. 나 학교 그만두고... 그림 배워 볼까?
진우	(뜨악하게 보다가) .....그림?
하은	어릴 때부터 좋아했으니까. 그림 그리는 거.
진우	(일어나 주방 쪽으로 가며) 알지. 하은이 그림 잘 그리는 거.
	(국 뜨며) 사실 예전에 우리 처음 봤을 때 있잖아.
	내 얼굴 그린 거 보고 깜짝 놀랐다. 너무 잘 그려서.
하은	...정말?
진우	그럼. 근데 하은아. 그냥 취미로 하면 어때?
	(미소 지으며) 솔직히.. 똑같이 그리는 건 재주지,
	재능은 아니잖아.

순간, 멍한 표정이 되는 하은. 눈물이 핑 - 돈다. 주방에서 국을 뜨는
진우의 뒷모습 보이며,

84. 신부 대기실 / 낮 (과거) 2014년 2월 (27세)
(앞 씬의 진우를 보는 듯) 정면을 응시하고 있는 무표정한 하은 얼굴.
하얀색 화려한 웨딩드레스를 입고 인형처럼 신부 대기실에
앉아있는 하은. 밝게 웃는 친구들과 의례적인 미소로 인사를 하고
사진을 찍는다.

웃고 있지만 자기도 모르게 흐르는 눈물 때문에 자꾸만 신경 쓰이는
하은. 그때, 폴라로이드 사진을 찍어서 하은에게 보여주는 친구.
점점 형태가 드러나는 사진.뿌옇게 형체가 드러나기 시작하는 사진을,
굳은 표정으로 바라보는 하은.

(cut to) 식장 앞. 곧 식이 시작된다며 장내를 정리하는 사회자의
목소리 들리는데, 웅성거리는 소리와 함께, 진우 친구들이 진우에게
달려와 귓속말을 한다.
친구들에 이끌려 황급히 신부 대기실로 달려가는 진우.
문을 열고 안으로 들어서면... 대기실 안엔 아무도 없다.
신부의 빈 의자 위에 놓인 사진 한 장.
왠지 슬퍼 보이는 하은 얼굴이 담긴 폴라로이드 사진 길게 보이며-.

      하은(NA)   난 왜 한 번도 스스로 행복해질 생각을 못 했을까.

      85. 진우 진료실 / 밤 2020년 10월 (33세)

무언가를 보고 있는 진우. 책상 위엔 청첩장과 그 사이에 끼워 넣은
폴라로이드 사진.
청첩장의 표지가 보인다... 신랑 함진우, 신부 고하은...
도심 야경이 보이는 진료실에서 멍한 얼굴로 창밖을 보는 진우.

      하은(NA)   진우랑 같이 살면서.. 그리고 결혼식장에 도착해서도
                        그 질문만 머릿속을 맴돌았어.

86. 하은 집 / 낮 (과거) 2014년 2월 (27세)

(이하, 슬로우) 벌컥 열리는 문. 마당에 담배를 집어던지고,
화를 내며 집을 나가 버리는 하은 부.
카메라 서서히 거실 안으로 들어가면, 묵묵히 듣고 있는 진우와,
누군가를 향해 무언가를 설득하는 진우 부모의 모습과,
거실 제일 안 쪽... 고개를 숙인 채 앉아 입을 굳게 다물고 있는 하은.

      하은(NA)   이기적이었고. 모두에게 미안했지만. 그게 내 최선이었어.

87. 별방진 위 / 낮 (과거) 2014년 2월 (27세)

파도치는 거센 바다와 흩날리는 머리카락들, 별방진 위에 서있는
하은의 단단한 표정.

      하은(NA)   큰 파도가 휩쓸고 가니까 생각은 더 또렷해지더라.
                         ....제주를 떠나기로 했어.

88. 진우 진료실 / 밤 2020년 10월 (33세)

블로그 글 목록의 맨 마지막에 보이는 제목... '여행.' 클릭하는 진우.
(2014년에 작성된 앞 글들과 달리, 2016년에 쓰인 글)

89. 하은 옛 집 / 낮 (과거) 2014년 4월 (27세)

꽃무늬 방석 위에 앉은 고양이 '엄마'와, 마루에 걸터앉은 하은 엄마의
뒷모습. 방에서 배낭과 캐리어를 들고나온 하은이 엄마 옆에 앉는다.

하은	실망했지..
하은모	했지, 실망. 실망 안하믄 그기 사람이가, 부처지.
하은	미안해. 엄마가 바라는 대로 못 살게 돼서..
	(보다가) 내가 바란 게 뭔데?
	그냥... 남들처럼 사는 거?
하은모	니, 사람들 얼굴이 왜 다 다른지 아나?
하은	.....?
하은모	각자 다 다르게 살라고. 그래서 전부 다르게 생긴 기다.
	살아보이 정해진 길이란 게 없드라.
	그냥 니 맘 가는 대로 살아라.
	그게 진짜로 엄마가 바라는 거다.
하은	(바라보다가 조용히 엄마를 끌어안는다)

90. 아트 팬시점 / 낮 (과거) 2014년 4월 (27세)

귓불을 뚫는 총. 따끔! 거리는 순간이 지나자, 소심하게 실눈을 뜨는 하은. 이젠 돋보기안경을 쓴 커다란 덩치의 사장이, 하은의 나머지 한 쪽 귀를 이제 막 뚫었다. / '귀 뚫어드립니다'라는 예전의 낡은 현수막. 만 원짜리를 건네고, 짐을 챙겨 나가려던 하은.

사장	거스름돈 가져가셔야지? (5천 원 내밀며)
	한쪽만 하셨으니까.
하은	(웃으며) 아니에요. 만 원이 맞아요.

91. 국내선 비행기 안 / 낮 (과거) 2014년 4월 (27세)

잔뜩 긴장한 채, 꽉- 쥐어진 하은의 손. 핑음과 함께 속도가 붙으며 비행기가 이륙한다. 실눈을 뜨고 용기 내어 창밖을 보는 하은.
점점 지면과 멀어지는 비행기. 잠시 후 장난감처럼 펼쳐진 땅과 바다가
시원하게 펼쳐진다.

92. 하은의 여정 몽타주 / (과거)

<u>2014년 5월 (27세)</u> 예전에 미소가 보냈던 성북동 주소가 적힌 편지 봉투를 쥔
하은의 손. 하은이 짐을 들고 까마득한 계단을 올라가면 예전 미소가
살던 집이 나타난다. / 부동산 아주머니가 문을 열어줘 들어가면, 비어
있는 방. 미소의 이젤과 그림 도구들이 널브러져 있다.
/ 직접 페인트칠 하던 하은. 방구석에서 오래전 미소가 그려
넣었던 스마일 마크를 발견한다.

> **하은(NA)**　　늘 궁금했어. 니가 서울에서 살았다는 그 집.
> 　　　　　　　집이 낯설지 않더라. 그래서 그랬을까..

<u>2014년 5월 (27세)</u> 집. 재니스 조플린 CD를 틀고, 맥주와 카레를 먹으며
고즈넉한 시간을 보내는 하은. / 〈Me & Bobby McGee〉 가사집 보며
밑줄. Freedom's just another word for nothing left to lose..
/ 스쿠터를 타고 출근. / 미소가 일했던 클럽에서 주인에게 칵테일
만드는 법을 배우는 하은. / 밴드 공연을 보며 흥겨운 관객들 사이로
섞여 들어, 춤을 춘다. / 새벽의 집. 미소가 쓰던 이젤 앞에 앉아
종이에 연필화(누군가의 눈)를 그리는 하은.

> **하은(NA)**　　...편했어. 흘러가는 시간이 느껴질 만큼 조용했고.
> 　　　　　　　물론 외롭긴 했지. 가끔 생각나는 보고 싶은 얼굴들..
> 　　　　　　　엄마 얼굴. 아빠 얼굴. 진우 얼굴.. 그래도 가장 그리운 건...

93. 학원 강의실 / 낮 (과거) 2014년 10월 (27세)

컴퓨터 정보처리 수업에 열중하는 어린 학생들 사이에 앉아 강의를
듣는 미소. 몰라보게 차분해진 차림새와 달라진 분위기. 강의를 마친
미소가 막 강의실을 나서는데, 복도 저편으로 보이는 낯익은
실루엣. 저 멀리.. 하은이 빙긋 웃고 있다.

> **하은(NA)**   ...미소 너였어.

94. 미소 셰어하우스 / 낮 (과거) 2014년 10월 (27세)

현관문 닫히는 소리와 함께 미소와 하은이 집 안 내부로 들어서면,

> **영옥**   (off) 누구야?
>
> **미소**   미소요!

미소를 따라 고급 아파트 내부로 두리번거리며 걸어 들어가는 하은.
주방에서 바쁘게 요리하던 영옥(50대)과 성연(40대)이 푸근한
인상으로 둘을 맞이한다.

> **미소**   다녀왔습니다. (하은 가리키며) 여긴 아까 말한 내 친구.
>   고하은.
>
> **하은**   안녕하세요.
>
> **미소**   (영옥 소개하며) 여긴 우리 집주인님,
>   (성연 소개) 여긴 성연 언니.
>
> **성연**   난 세입자. (파 썰던 부엌칼로 미소와 자기 가리키며)
>   같은 신분.
>
> **하은**   (웃으며) 갑자기 와서 죄송합니다.

영옥	죄송하긴.. 미소 친군데. 저녁 안 먹었죠?
	둘이 수다 좀 떨고 있어. 금방 해줄게요.
미소	오늘 메뉴는 뭐야?
성연	(요리하며) 28첩 수라상.
하은	(놀라며) 네?
미소	이 언니.. 한정식집 요리사야.

잔뜩 어질러진 부엌에서 마지막 요리인 갈비찜을 들고 넓쩍한 거실로
가져가는 성연. 큰 교자상에 가득 차려진, 정말 28찬 수라상.
보리굴비, 간장게장, 갈비찜 등등을 보는 하은.

하은	맨날 이렇게 드시는 건 아니죠?
영옥	그치. 오늘만 28찬이고... (진지하게)
	어제가 72찬, 그제가 146찬.
성연	지난주가 좀 빡셌지. 385찬. 베란다까지 펼쳐놓고 먹었다.
	그치?
미소	(묵묵히 먹으며) 그만 좀 해. 썰렁해.
하은	(웃으며) 근데 세 분.. 어떻게 같이 살게 되셨어요?
영옥	우리 바깥양반 죽고 내가 같이 살 사람들을 좀 찾았지.
	월세도 벌 겸. 그러다 성연이네 식당에서 찾았지.
	난 단골손님. 미소는 알바.
미소	(먹다가) 언니. 게장 간이 좀 쎈데..
성연	아.. 미안. 사랑이 너무 많이 들어갔나 봐.
미소	아씨.. 쫌! 썰렁하다니까!

깔깔대며 웃는 세 사람.
하은이 예전과 달리 차분해진 미소의 얼굴을 본다.

95. 공항 출국장 / 낮 (과거) 2014년 10월 (27세)

배낭을 메고 떠나려는 하은과 배웅 나온 미소.
출국장으로 들어가려는 하은.

미소	이제 비행기 타는 거 겁 안 나?
하은	무섭긴 한데... 실눈 뜨고 있으면 괜찮아.
미소	(씨익 웃고는) 언제 돌아와?
하은	그건 바이칼 호수 보고 결정하려고.
	좋으면 눌러살 수도 있고.
미소	(웃으며) 집으로 편지 보내. 난 어디 안 가니까.
하은	그분들 엄청 재밌더라. 근데 넌 재미없어졌어.
	졸라 심심해.
미소	이젠 심심한 게 좋아. 편해.

하은이 주머니에서 무언가를 꺼내 미소에게 건넨다.
미소가 손바닥을 펴보면, 미소의 자음을 세로로 이어 만든
ㅁ ㅅ 귀걸이가 놓여있다. (ㅁ)

하은	(손가락으로 짚어가며) 요게 미음, 요게 시옷이야.

새로 뚫은 자신의 귀를 보여주는 하은. 방금 미소에게 준 것과 같은
모양의 귀걸이가 걸려있다.

미소	(말없이 귀걸이 보다가) ...한 번 안아보자.

미소, 팔 벌려 하은을 품 안에 가득 안아준다.
쉽게 서로를 놓지 못하는 두 사람.

96. 하은의 여행 + 미소의 일상 몽타주 (과거) 2014년 12월 (27세)

눈 덮인 초원지대를 평화롭게 달리는 시베리아 횡단 열차.

차창 밖 하얀 풍경들을 바라보는 하은. 바이칼 호수 엽서 위에 꼼꼼히 글씨를 쓴다.

　　하은(NA)　　여행하는 동안 문득 깨달은 게 있었어.

웹 프로그래밍 사무실. 미소가 자리로 오면, 하은이 보낸 바이칼 호수 엽서가 놓여있다.

　　하은(NA)　　이제 우린 다른 삶을 살게 되겠구나.

영옥, 성연이 생일 케이크 가져오면, 불을 끄는 미소.

생일 선물 받으며 해맑게 웃는다.

미소의 한쪽 귀에 걸린 ㅎㅇ귀걸이가 보인다.

　　하은(NA)　　넌 예전의 나처럼,

열차 안, 외국 승객들과 함께 이야기 나누며 밥을 먹고,

사람들의 얼굴을 그려주는 하은.

하은의 한 쪽 귀에 걸린 ㅁㅅ귀걸이가 보인다.

　　하은(NA)　　난 예전의 너처럼.

97. 웹 프로그래밍 사무실 / 낮 2020년 10월 (33세)

모니터에 가득한 프로그래밍 화면들. 안경을 쓴 채 일에

집중하고 있는 현재의 미소. 그때 동료 직원이 미소에게 다가와
입구 쪽을 가리킨다. 사무실 입구에 와 있는 진우.

98. 회사 휴게실 / 낮 2020년 10월 (33세)

퇴근 준비 중인 사무실. 블라인드를 내리는 미소.
차를 가지고 와 진우 맞은편에 앉는다.

미소	여긴 어떻게 알고 온 거야?
진우	래미 갤러리. 그 큐레이터한테 물어봤어.
	너.. 하은이 잘 모른다고 했다며.
미소	(찻잔 불며) 내가 꼭 얘기해줘야 되나?
진우	미소야. 솔직하게 말해 줘. 하은이 지금 어딨어?
미소	나도 모른다고 했잖아. 그리고 이제 와서 그게
	왜 궁금한데?
진우	(답답한 듯) 내가 왜 궁금한진
	너도 하은이 글 봤으면 알 거 아냐.
	제발 말해 줘. 하은이 지금 어딨냐고!
미소	몰라.
진우	왜 자꾸 모른다고만 하는데. 넌 알잖아, 하은이 어딨는지!
미소	말했잖아. 모른다고!

그때 테이블 위에 놓인 미소의 휴대폰이 울린다. 동시에 휴대폰을 본
진우와 미소. 발신자에 뜬 이름... '하은♡' 미소가 당황하며 황급히
전화를 끊는다. 그러나 다시 걸려 오는 하은의 전화. 당황한 듯
다시 전화를 끊는 미소. 진우와 눈이 마주친다.

진우   하은이 맞지... 하은이 지금 어딨어?

99. 회사 앞 도로 / 해질녘 2020년 10월 (33세)

노란색 유치원 통학 버스 문이 열리며 내려서는 누군가의 발이 보인다.
어린이용 작은 신발.

여자아이   엄마!

미소에게 안기는 여자아이. 건물 앞에 서 있던 진우가
멍한 얼굴로 미소와 아이를 본다.
아이가 낯선 표정으로 진우를 바라보면, 진우의 눈에 들어오는,
아이의 명찰 - '안하은'

100. 웹 프로그래밍 사무실 / 저녁 2020년 10월 (33세)

회사 휴게실에 앉아, 유리문 바깥을 보고 있는 진우.
모두 퇴근한 빈 사무실. 미소가 안하은(7)을 직원 의자에 앉힌 뒤
어린이 유튜브 영상을 틀어준다.
안하은에게 무어라 당부한 뒤, 휴게실 안으로 들어오는 미소.
말없이 미소를 바라보는 진우.

미소   (진우 바라보다가) ....맞아. 너랑 하은이 아이.

잠시 말문이 막힌 채 미소를 바라보는 진우. 미소가 어두운 표정으로
안하은을 바라본다.

101. 학원 강의실 복도 / 낮 (과거) 2014년 10월 (27세)

(앞 강의실 장면의 반복) 강의실에서 나오는 미소.

누군가를 발견하고 멈춘다.

저 멀리 강의실 복도에 보이는 낯익은 실루엣.

하은의 미소 띤 얼굴. 그 아래로 보이는.. 만삭의 배.

미소 띤 얼굴과 달리, 어딘지 모르게 초췌해 보이는 하은의 모습.

102. 미소의 방 / 밤 (과거) 2014년 10월 (27세)

침대에 나란히 걸터앉아 있는 두 사람의 발.

미소에 비해 살짝 부어있는 하은의 발과 다리.

미소는 신기한 듯 하은의 부른 배에 가만히 손을 대어보고 있다.

미소	어떤 기분이야?
하은	가끔 심장이 뛰는 것도 느껴져. 좀 신기해.
미소	진우는 알아?
하은	....아니.
미소	너희 결혼한 거 아니었어?
하은	(잠시 망설이다가 고개를 들곤) ...내가 도망쳤어. 결혼식 날.
미소	......
하은	진우 좋은 사람이지. 날 많이 좋아해 주기도 하고.
	아마 결혼했어도 잘 살았을 거야.... 근데 그런 생각이
	들었다..
미소	.....
하은	진우가 좋아하는 내가, 진짜 날까.
	시간이 지나면 내가 어떤 사람인지
	나도 잊어버리게 될 거 같았어. 그래서 무서웠어.

미소	......
하은	(보다가) 미소야. 나 좀 눕고 싶은데..

미소가 하은을 눕혀준다. 그 옆에 눕는 미소.
나란히 누워 천장을 보는 두 사람.

하은	그리고 나... 알고 있었어.
미소	...뭘?

인서트〉 [체오름 동굴 입구] 미소에게 물린 진우의 입술.
"아!" 소리 내며 뒤로 물러나는 진우.
진우의 정강이를 툭, 차는 미소.
동굴 입구 쪽에 숨어 그 모습을 보던 하은-.

하은	나.. 니 마음이 어땠는지 알고 있었어.
	근데 니가 나한테서 멀어지려고 하는 게 싫고 무서워서..
	왜 미워하는지도 모르고 널 미워했어.

많은 기억들이 스쳐 지나가는 듯, 말없이 하은의 얼굴을 바라보는 미소.

하은	(보다가) 내가 미웠지?
미소	미웠지. ...풀 용기도 없었고. (말없이 보다가) 너도?
하은	(말없이 보다가 고개 끄덕인다)
미소	근데 어떻게 나한테 온 거야?
하은	...보고 싶었으니까.
미소	......
하은	그리고 보여주고 싶었으니까.

미소	뭘?
하은	미소.
미소	.....?
하은	(배 만지며) 태명.. 미소라고 지었거든.
	너한테 제일 먼저 보여주고 싶어서.

글썽이는 눈으로 하은을 보는 미소. 하은이 팔을 벌려 미소를 꼭
안아준다. 침대 위 젖은 베개. 서로를 꼭 안아주는 두 사람.

103. 병원 수술실 앞 / 낮 (과거) 2014년 10월 (27세)

불이 들어와 있는 '수술 중' 표지판. 분만실 앞에서 초조하게 서성이는
미소. 잠시 후 수술 불이 꺼지고, 의료진들이 쏟아져 나온다. 의사(여,
50대)에게 다가가는 미소.

의사	(마스크 벗으며) 힘들긴 했는데... 산모랑 따님.
	둘 다 건강합니다. 축하드려요.

오랜 긴장이 풀리는 듯, 입을 막으며 안도의 눈물을 흘리는 미소.

104. 병원 조리원 룸 / 낮 (과거) 2014년 10월 (27세)

눈 꼭 감은 채 꼼지락거리고 있는 갓난아기. 그 옆에 누워있는
초췌한 하은. 하은의 옆에서 꼬물대는 아기 얼굴을 신기한 듯 조곤조곤
보는 미소. 금방 울 것 같은 얼굴로,

미소	나 애기 처음 봐. 너무 신기해.. 사람이 왜 이렇게 작아?

하은	애기니까 작지.
미소	(웃으며) 나, 너랑 얘 키우면서 같이 살까?
하은	(코웃음) 지 앞가림도 못하는 게 무슨.
미소	넌 착한 엄마하고, 난 불량 엄마 하면 되잖아.
	남자들 쥐락펴락하는 신공은 내가 다 전수 해줄게.
하은	그건 내 전공 아냐?
미소	(웃으며) 야.. 전공 빵구 맞을 일 있냐?

105. 병원 복도 / 낮 (과거) 2014년 10월 (27세)
미소, 음식을 싸 들고 간호사 데스크를 지난다. 가벼운 발걸음으로
병실로 향하는 미소.

106. 조리원 룸 / 낮 (과거) 2014년 10월 (27세)
조리원 룸의 문을 열고 안으로 들어서는 미소, 그런데 하은은
간데없고. 하얀 시트만 구겨진 채 텅 빈 침대만 보인다.

107. 병원 복도 / 낮 (과거) 2014년 10월 (27세)
간호사 데스크로 달려가 간호사에게 물어보는 미소.

미소	217호 산모 혹시 어디 갔어요?
간호사	못 봤는데.. 안에 안 계세요?

미소의 얼굴 위로 걱정이 스치고, 복도를 찾아 헤맨다.
그때 울리는 미소의 핸드폰.

미소	응.. 너 지금 어디야?
하은	(off) 그때 우리 약속한 거... 아직 마음 안 변했지?
미소	무슨 말이야?
하은	(off) 니가 얘기했잖아. 나 떠날 수 있게 해주겠다고.

<u>인서트</u>〉 [미소의 방] 침대 위에 누워 서로를 보고 있는 하은과 미소.

미소	하은아.. 아이 태어나면... 너 하고 싶은 대로 해.

<u>인서트</u>〉 [미소의 방] 침대 위 하은과 미소. 눈물 흘리고 있는 하은에게 이야기하는 미소.

미소	니가 제주 왜 떠났는지 나 알잖아.
	그러니까 너 하고 싶은 대로 해. 자유롭게 살아.
하은	(글썽이는 눈으로 미소 본다) .....

복도를 뛰어다니며 전화하는 미소와, 엘리베이터 앞에서 전화하는 하은이 교차되며,

미소	알겠어. 떠나라고! 근데 왜 얼굴도 안 보고 가는데!
하은	알잖아. 니 얼굴 보면 나 못 떠나.
미소	그래도 이렇게 갑자기 떠나는 게 어딨어...
하은	미안해. 미소야.. 나는...
	(무언가 더 이야기하려다 전화 끊는다)
미소	여보세요? 하은아! 하은아!

엘리베이터 문이 열리고 하은이 안으로 들어간다. 버튼을 누르고

뒤돌아서면, 맞은편 복도 저쪽에서, 이제 막 하은을 발견한 미소.
미소를 향해 웃음을 지어 보이는 하은. 엘리베이터 문이 닫힌다.

108. 회사 휴게실 / 밤 2020년 10월 (33세)
현재의 진우, 멍한 얼굴로 한참 말이 없다.

진우	어디로 갔는진 모르고?
미소	응.
진우	....그 뒤로 연락도 없었어?

미소, 고개를 가로젓는다. 멍한 표정으로 있다가 유리문 너머에 있는
꼬마 하은을 보는 진우.

진우	아이... 가끔 보러 와도 돼?
미소	(고개 끄덕이곤) 대신 모르는 척해줘.
	그건 하은이 부탁이기도 했으니까.

복잡한 심경으로 아이를 보는 진우. 입술을 문 채 무표정하게 고개를
숙이고 있는 미소.

109. 도로 - 미소의 차 / 밤 2020년 10월 (33세)
빠르게 도심을 달리는 미소의 차. 뒷자리에 앉아 잠이 든 꼬마 하은.
정면을 보며 운전하고 있는 미소. 겨우 참아내고 있던 눈물이
자꾸만 흘러내린다.

110. 병원. 진실 - 몽타주 / 낮 (과거) 2014년 10월 (27세)

[병원 복도] 미소, 음식을 싸 들고 간호사 데스크를 지나 병실로
향한다. (앞 씬의 반복)

[조리원 룸] 미소가 조리원 룸에 들어서는 순간, 무언가를 보고
멈칫한다. 텅 빈 침대... 구겨진 시트 위로 선명한 붉은 선혈!
잘못 들어왔는지 방 호수를 확인하고, 황망하게 두리번거리다
복도 쪽으로 뛰쳐나간다.

[병원 복도] 간호사 데스크로 가자, 간호사도 다급한 표정으로
어디선가 오고 있다.

미소	217호 산모 어디 갔어요?
간호사	안 그래도 전화했는데.. 산모분, 하혈을 심하게 하셔서 지금 응급 수술 중이에요!

[수술실 앞] 수술 마치고 나오는 의료진들. 미소가 담당 의사에게
달려간다. 지친 표정의 의사.

의사	(고개 숙인 채) 죄송합니다... 너무 갑작스럽게 악화되서...

의료진들이 다 빠져나가고, 들려오던 소음 사라지면...
텅 빈 복도에 멍하게 서있는 미소.

[조리원 룸] 해맑은 얼굴의 갓난아기.
손가락을 내밀자 꼭 쥐는 아기 손. 멍한 표정으로 바라보는 미소.

[병원 복도] 데스크 위. 〈사망 진단서〉 위로 내밀어지는
병원의 입/퇴원 확인 서류.

간호사　　　동그라미 친 부분만 작성하시고 서명 부탁드릴게요.

멍한 눈으로 종이 위에 펜을 가져가는 미소. 환자 성명란에 힘겹게
'고하은'이라고 쓴다. 그 옆 '연령'란에서 멈추는 손.
떨리는지 잠시 펜을 멈춘다. 애써 눈물 참는 미소.

미소　　　재수 없어... 고하은... 나한테 왜... 이런 거 시켜.. 왜...

떨리는 손으로 겨우 펜을 다시 잡고,
'연령'란 옆에 힘겹게 숫자를 쓴다.... 27.

　　　111. 조리원 룸 - 몽타주 / 낮 (과거) 2014년 10월 (27세)
홀로 남은 조리원 룸에서 하은의 짐을 챙기는 미소.
트렁크에 외투를 넣으려는데, 주머니에서 무언가 툭, 떨어진다.
아주 작은 상자. 그 상자를 열어보면 예쁘게 놓인 한 쌍의 귀걸이가
보인다. 미소의 자음을 세로로 이어 만든 ㅁㅅ 귀걸이.
귀걸이 아래 놓인 조그만 카드 한 장. 펴보면 거기에 꼭꼭 눌러쓴
하은의 손 글씨.

"우리가 함께한 기특한 시간들에 대한 선물이야. 고마워, 미소야."

비로소 꾹꾹 참았던 눈물이 터지는 미소.
하은이 남긴 귀걸이를 품에 안고 오열한다.

텅 빈 방. 웅크린 채 오열하는 미소의 뒷모습 위로 들리는 울음소리.
그 낮고 구슬픈 울음 위로, 여러 공산들과 사람들의 모습이
느린 화면으로 이어진다.

....

텅 빈 하도 초등학교 운동장과, 텅 빈 별방진.
텅 빈 세화 리조트 룸과 텅 빈 캔모아 카페...
텅 빈 하은의 산꼭대기 방...
누군가의 귀를 뚫고 있는 아트 팬시점 아저씨와,
진료실에서 다리에 깁스 한 환자를 진료하는 진우.
당근 밭에서 당근을 캐다 하늘 올려다보는 하은 모.
그리고 꽃무늬 방석을 두고, 어딘가로 떠나가는 고양이 '엄마'의
뒷모습...

112. 제주 바다 앞 / 낮 (과거) 2014년 11월 (27세)

불을 피워 놓은 작은 드럼통. 그 위로 던져지는 '엄마'의 꽃무늬 방석.
넘실대는 파란 바다가 보이는 검은 바위 부근, 미소와 하은 모가
나란히 앉아있다.

하은모	엄마도 편히 갔다. (보다가) 그리고 보믄 하은이.. 미소.. 너거들 만난 시간이.. 엄마한텐 평생이었다. 그자?
미소	....
하은모	제주 집도 팔았다. 여기 떠날라꼬.
미소	...어디로 가시게요?
하은모	안 살았던 데로 가 봐야재. 하은 아빠한테도 이번엔 날 따라오라 했다.
	...바닥을 치야 사람은 용기가 생기는 갑다.

하은 모가 주머니를 뒤적이더니 미소에게 종이 한 장을 건넨다.
서울 집 주소가 적힌 메모지. 떨리는 하은 모의 손. 여태 담담하던
하은 모가 흐느끼며 겨우 목소리를 낸다.

하은모   (떨리는) 파혼하고... 하은이 혼자 살던 집 주소다.
            내 대신 미소가.. 우리 하은이.... 짐 좀 챙겨도...

113. 하은의 산동네 집 / 낮 (과거) 2014년 11월 (27세)

하은이 살던 산동네로 힘들게 올라오는 미소.
자신이 예전에 살았던 그 집이다.
그 앞에서 허탈하고 슬픈 미소를 짓는 미소. / 미소가 고쳤던 방문,
하은이 칠하다 만 구석의 페인트칠, 미소가 남긴 스마일 마크까지
그대로다. / 하은의 구형 노트북을 열어보는 미소.
인터넷 즐겨찾기를 누르자, 하은이 썼던 블로그로 연결된다.
1998년 여름부터 2014년 봄까지 이어지는 블로그의 글 목록들.
/ 구석에 놓인 빨간 캐비넷 상자를 열어보면, 하이샤파 연필깎이와
몽당연필로 채워진 유리병, 어릴 적부터 하은이 그려온 수많은
그림들이 나온다. 둘이 어릴 적 그렸던 고양이 '엄마' 그림까지.
조용히 그 그림을 보던 미소. 고개를 돌리면... 벽에 기대어진 커다란
물체(캔버스)가 천에 덮여져 있는 모습이 보인다.

114. 미소 몽타주 (과거)

• 2015년 11월 (28세) 웹 프로그래밍 업무를 하다 시계를 보고
  서둘러 퇴근하는 미소.

• 늦은 밤. 아기 하은(2세)을 돌보던 베이비시터와 교대하는 미소.

아기 하은을 재우는 미소.
• 하은이 그렸던 초기의 작은 그림들을 모사하며
연필화를 그려보는 미소.
• <u>2016년 2월 (29세)</u> 산동네 하은이 살던 집.
방구석에 있던 거대한 캔버스의 천을 거두는 미소.
눈과 코 언저리까지 완성된, 미소를 그린 거대한 그림.
하은이 남긴 미완성 작품이다.
• 하은의 구형 노트북을 열어 하은의 블로그에 글을 쓰기 시작하는
미소. 소제목…. '여행'
• <u>2017년 5월 (30세)</u> 봄 햇살에 피어나는 작은 화분의 꽃.
손가락 마디에 반창고 붙인 미소의 손.
하은이 남긴 미완성 그림을 이어받아 그려나가는 미소.
이목구비와 얼굴 형태까지 완성된 그림.

>   하은(NA)   기억나? 내가 예전에 책에서 보고 해줬던 얘기.
>   태양이 안심하고 빛날 수 있는 건 그림자 때문이라고
>   했잖아. 비록 한 몸은 못 되지만 멀리서라도 떠나지 않는
>   그림자가 있어서 태양은 평생 외롭지 않게
>   빛날 수 있는 거라고.

어두운 공간. 홀로 하은의 미완성 그림을 그리던 미소가 고개를 들어
옆쪽의 커다란 창을 보면, 유리창에는 그림을 그리고 있던 하은의
모습이 반사되어 비친다. 미소를 향해 눈물 어린 미소를 지어 보이는
하은. 애틋한 눈으로 서로를 바라보는 두 사람.

>   미소(NA)   니가 남긴 그림을 그리면서 항상 그 말을 떠올렸어.

115. 웹 프로그래밍 사무실 / 낮 2020년 10월 (33세)

업무에 열중이던 현재의 미소에게 문자가 온다.

미소, 안경 벗고 확인하면.

"하은 작가님과는 연락이 닿았습니다. 한 번 보러 오세요.^^"

큐레이터에게 온, 〈2020 래미 갤러리 신진작가 초대전〉

모바일 초대장.

116. 래미 갤러리 / 낮 2020년 10월 (33세)

미소가 꼬마 안하은의 손을 잡고 갤러리로 들어선다.

반갑게 맞이해 주는 큐레이터.

큐레이터	아- 와 주셨네요. 감사합니다.
미소	아니에요. 초대해 주셔서 제가 감사하죠.
큐레이터	하은 작가님이 전속 작가 제안은 어렵겠다고 메일 보내오셨어요. 부담 없이 자유롭게 작업하시고 싶다고.. (웃으며) 그래도 새 작품 나오면 저희 쪽에 제일 먼저 보여주시기로 했습니다.
미소	잘됐네요.
큐레이터	꼬마 하은 보며) 아, 따님이신가 봐요. 엄마랑 꼭 닮았네?
안하은	(배꼽 인사) 안녕하세요.
큐레이터	네~ 안녕하세요. 그럼 편하게 보세요.

전시장 안으로 들어가는 미소와 안하은.

관람객들과 다른 작가들의 그림 사이로, 벽에 걸린 하은의

연필 인물화들이 보인다. 말없이 다가가 하은의 그림들을 감상하는

두 사람. 캔모아의 진우 얼굴과, 꽃무늬 방석 위 고양이 '엄마',
당근 밭에서 환하게 웃는 하은 모의 얼굴... 보는 각도에 따라
부드러운 빛들이 생겨나며, 묘한 생명력이 살아나는
극사실적인 그림들.
....그리고 숲속 미소의 얼굴을 그린 그림 앞에서 걸음을
멈추는 미소. 열여덟.. 가장 행복했던 시절의 자기 모습을 바라보는
서른셋의 미소. 벅차오르는 감정에 조금씩 눈물이 차오른다.
주변음 점점 조용해지며...

    미소(NA)   이젠 니 얼굴을 그리고 싶어.

그림 속 미소의 눈동자 속... 보는 각도가 살짝 변하자, 눈동자 속에
숨어있던, 미소의 사진을 찍어주던 열여덟 하은의 모습이 되살아난다.

    미소(NA)   사랑 없인 그릴 수조차 없는 그림 말야. (F.O)

    117. 하은의 산동네 집 / 밤 2021년 1월 (34세)
(F.I) (프롤로그 장면의 반복) 사각거리는 소리와 함께,
형태를 알 수 없는 흑백의 이미지가 보인다.
화면 위로 쉴 새 없이 움직이는 연필. 콘테와 목탄, 붓, 찰필이
번갈아 가며 그림의 질감을 만들어 간다.
빠르고 섬세한 연필의 움직임이 더해질수록...
사진처럼 정교해져가는 사람의 눈.
고도로 집중한 상태로 연필화를 완성해 나가는 미소의 손.
어디선가 철로를 달리는 기차 소리가 들려오기 시작한다.
점점 그림을 완성해 나가는 미소의 모습 너머로, 기차의 유리창에

머리를 기댄 한 여자의 얼굴 그림(프롤로그의 그림)이 보인다.

118. 시베리아 횡단 열차 / 낮 언젠가 겨울

그림 속 여자의 얼굴이 실제 화면으로 점차 바뀌면,
차창에 기댄 채 생각에 잠긴 하은의 얼굴. 열차 멈추는 소리와 함께
러시아어 안내 방송이 들린다.

"*Станция для остановки на этот раз 'Иркутск'...*"
(이번 정차할 역은 이르쿠츠크입니다...)

카메라 점점 빠지면, 맞은편 자리엔 누운 채 잠든 러시아 승객들의
모습. 옆에 있던 화구 배낭과 카메라 등을 챙겨 황급히 밖으로
나가는 하은.

119. 바이칼 겨울 호수 / 낮 언젠가 겨울

눈으로 뒤덮인 거대한 산맥과 꽁꽁 언 바이칼 호수의 거대한
전경이 펼쳐진다. 바이칼호의 빙판 위를 시원하게 달리는 '우아직'
승합차. 독특한 문양의 크랙을 가진 빙판 위를 미끄러지듯
부드럽게 달린다.

(cut to) 승합차의 문이 열리며 차에서 내리는 하은.
파란 하늘과 새하얀 빙판, 그리고 거대한 설산. 무언가에
이끌리듯 발걸음을 옮긴다. 어딘가를 뚫어지게 바라보며 걷다가,
멈춰 서서 주머니에 있던 엽서 한 장을 꺼내 보는 하은.
오래전 미소가 하은에게 선물로 주었던 바이칼 호수의 엽서다.

하은이 고개를 들자 그녀 앞 저 멀리... 엽서 속의 독특한 형상을 한
부르한 바위의 실제 모습이 거대하게 우뚝 서 있다.

상기된 표정으로 그 거대한 바위를 올려보는 하은과 그녀의 글썽이는 눈.

그 바위를 향해 힘차게 발걸음을 내딛는 하은.

꽁꽁 언 바이칼 호수의 거대한 풍광 속으로 점점 멀어지는
하은의 모습 보이며-

끝.

스토리보드

조나래
(스토리보드 작가)

Storyboard

민용근 감독의 손 메모가 고스란히 남아 있는
현장용 대본을 스캔하여 수록하였습니다.

#27
세화 리조트 폐건물 <small>하은에게 폐리조트에서 서프라이즈 파티를 해주는 미소</small>

Da O E 59CUT 2004.7

C#	장면	Angle	장면설명
1 Ⓐ Ⓑ		미소,하은 Fr-in → 리조트 F.S Tilt up	＊ 2동가는길 울창하게 자란 잡초들을 헤치며, 저 멀리 보이는 3동 짜리 리조트 건물을 향해 가는 미소. *푸르스름 새벽 설정(C#28까지)
2 ③		발 C.U	덩굴있는 건물로 올라서는 발 내부 폐허 건물
3 ④		미소, 하은 2S 측면 Follow	하은 (어리둥절) 여기.. 뭐야? 미소 망한 리조튼데 건물이 안 팔리나봐. 그래서 내가 접수했지. ＊ 내부의 폐허보여줌 *1번 건물 1층 내부 *아시바등의 건설소품
4 ⑤		하은 c.u Follow	리조트 1층. 콘크리트 뼈대만 남은 건물과 폐자재들이 널부러진 복도를 지나는 두사람. *1번 건물 1층

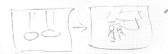 

Da O E 59CUT 2004.7

C#	장면	Angle	장면설명
5 ④		미소 C.U → 건물뒷문	복도를 지나 뒷문으로 향하는 미소와 하은
		Pan	*1번 건물 1층에서 2번 건물로 가는 뒷문
6 ②		손C.U	하은의 손을 잡아주는 미소 *별방진에서 맞잡았던 손 느낌
7 ①		미소,하은 2S	건물 사이를 건너는 미소와 하은 내려주고 올려주는 미소.
8 ①		계단 High level	〈2동〉 (cut to) 폐자재들이 널브러진 복도를 지나 계단을 오르는 두 사람. 먼저 올라가는 미소.

Da O E 59CUT 2004.7

C#	장면	Angle	장면설명
9 ②		미소,하은 입간판 OS 미소,하은 Track out	계단을 따라 2층에 오른 미소와 하은. 계단위 누군가에게 공손하게 인사하는 미소. 하은에게도 인사 시킨다. 미소: 인사드려. *입간판 뒷면도 승무원 뒷모습으로 프린트 되어 있음
10 ③		입간판 → 입구 Pan	미소 프레잉인욱 하은 따라욷 어디서 주워왔는지 항공기 승무원 입간판이 우측을 가리키며 서 있다. 입간판이 가리키는 출입구로 향하면, 커다란 스티로폼 판넬이 입구를 가로막고 있다. 판넬 가운데 그려진 커다란 손바닥. 미소가 손바닥을 쳐보라는 시늉을 하자, 영문도 모른 채 따라하는 하은. 미소: 쳐봐.
11 ④		하은손 C.U	판넬 가운데 그려진 손바닥을 치는 하은 *쓰러지는 스트리폼 판넬

Da O E 59CUT 2004.7

C#	장 면	Angle	장면설명
12 ③		미소,하온 뒷모습 K.S	스티로폼 판넬이 힘없이 쓰러지며 안 쪽 공간이 보인다.
13 ①		실내 F.S 약앙각	쓰러지는 스티로폼 판넬, 낡은 빨간 색 천으로 이어놓은 야매 레드카펫, 모아놓은 깨진 유리조각들과 닝쿨들.
14 ②		하은,미소 측면 → 실내F.S 우Track / Pan	* 드랙 / 하온 리액션 먼저 * 빛나는 유리조각 하온이 뭐냐,는 눈빛으로 보면 미소가 말없이 안으로 안내한다. 야매레드카펫 유리로 하온이 걸어가며 옆을 보면, 뻥 뚫린 베란다 너머로 바다와 우도, 성산 일출봉 등이 보인다. 아늑하게 꾸며진 작은 공간. 낡은 테이블 위엔, 케이크와 열일곱 개의 초가 꽂혀있다. 케이크 덮개 / 밥상보?
15 ④ A		하은 B.S 미소	테이블 위의 케이크를 보는 하은 덮개

* 서로를 보는 미소와 하은의 시선이 중요!

Da O E 59CUT 2004.7

C#	장면	Angle	장면설명
16 ⑥		케이크 C.U (하은시점)	덮개가 씌워진 케이크 — 옆면. 테이블 위엔, 생크림 케이크와 열일곱 개의 초가 꽂혀있다.
17 ③		미소 OS 하은	미소를 돌아보는 하은
18 ④ A		하은 OS 미소	케이크 상자 안 (OR 주머니)에서 조그만 상자를 꺼내는 미소.
19 ⑤		상자 C.U (하은시점)	상자를 건네는 미소
20 ③		미소 OS 하은	하은이 열어보면 귀걸이가 한 쌍이 놓여있다.

Da O E 59CUT 2004.7

C#	장면	Angle	장면설명
21 ⑤		귀걸이 C.U (하은시점)	상자 안에서 귀걸이 꺼내 집어본다 하은이 귀걸이를 들고 자세히 보면, 하은의 ㅎ과 ㅇ을 세로로 이어서 만든 모양. (g) 클로즈업
22 ④ A		하은 OS 미소	미소의시선, 애정과진심 미소　니 이름 따서 만든 거야. (타이 클로즈업
23 ⑤		귀걸이 C.U	미소　(가리키며) 요게 히읗, 요게 이응
24 ②		미소,하은 측면 2S	마로 받는시선! 하은　(감격) 그래서 어제 귀 뚫으라고 한 거야? 미소　응. 근데 한 쪽만 뚫었으니까, 나머지는 나중에 또 뚫으면 해. 하은　지금 끼워줘. 미소　지금? 지금 하면 아플텐데? 붓기 빠지면 해. 하은　괜찮아. 참을 수 있어.
25 ④ B		하은 OS 미소	하은이를 바라보다가, 발갛게 부운 하은의 귀에, 철심을 뽑아낸 뒤 새 귀걸이를 걸어주는 미소.

Da O E 59CUT 2004.7

C#	장면	Angle	장면설명
26		하은C.U	아픈 듯 얼굴 찡그리는 하은.
		악부감	
27		귀걸이 C.U	하나 남은 귀걸이를 만지작거리다 미소에게 건넨다.
28		미소,하은 측면 2S	하은　　　이건 너 해. 　　　　　나 나머지 한 쪽 뚫을 때까지. 이리다와. 내가 해줄께. 미소에게 귀걸이 돌려주는 하은
29		케이크 C.U	(cut to) 먹고 남은 케이크 *이후 아침 설정

Da O E 59CUT 2004.7

C#	장 면	Angle	장면설명
30		발 C.U	☀. 임신한 하은의 다리 비교. 흔들거리는 미소와 하은의 다리 미소　일단 시베리아 횡단 열차를 타고 　　　바이칼 호수부터 볼 거야.
31		하은 귀걸이 C.U	한 쪽 귀에 미소가 준 귀걸이를 하고 듣는 하은 미소　그 담에 프랑스 도착하면 미술관 　　　도 가고
32		미소 귀걸이 C.U	하은과 같은 귀걸이를 하고 있는 미소 미소　그림도 배우고. 스페인 　　　가면 모로코 가는 배 탈 수 있거든.
33		2S 뒷모습 W.S	푸른 바다를 배경으로 종이컵에 담은 생크림 케이크 먹으며 미소의 브리핑(?)을 듣는 하은. 미소　그렇게 북아프리카도 한 바퀴 쭉 　　　돌고. 하은　(먹으며) 언제 가게? 미소　한 5년 후? (진지하게)
34		하은 OS 미소	미소　같이 가자.

Da O E 59CUT 2004.7

C#	장면	Angle		장면설명
35 ③ A		미소 OS 하은	하은	나 비행기 못 타는 거 알잖아. 높은 데는 무서워..
36 ② A		하은 OS 미소	미소	블라디보스톡까지 배 타고 가면 되니까 괜찮아. 여행 하면서 그림도 배우고. 너도 그림 그리면서 살고 싶다 했잖아.
37 ③ A		미소 OS 하은	하은	네가 (한숨) 내 팔자에 무슨 그림이냐... 아빤 내가, 선생님 됐으면 좋겠대. 그게 아빠 로망이래. 허며
38 ④ A		미소,하은 2S W.S	미소 하은 미소 하은 미소 하은 미소	아빠 로망은 아빠가 이루시라고 하고. 너는 나랑 가자. 응? (생각하다가) 뭔가 무서워. 2세도 내가 지켜줄 텐데 뭐가 무서워. (웃으며) 누가 누굴 지켜. 혹 불면 날아갈 거 같구만. 아니거든. (팔 벌려서 어깨 툭 치며) 여기 기대봐. 남친도 아닌데 내가 왜 니 어깨 기대냐? (콧방귀 끼며) 웃기네. 그럴 남친이나 있고?
				(일어나면서 종이컵 가져다놈) *계속 앉아 있는 설정 고려

Da O E 59CUT 2004.7

C#	장면	Angle	장면설명
39 ⑥		하은 B.S	어색한 표정으로 뭔가 머뭇거리는 하은. (옆보다가 긴개숙임)
40 ④ B		미소 B.S	그런 하은 보는 미소.
41 ④ A		하은, 미소 2S → 하은 OS 미소 좌Track	그 표정 살피는 미소. 낯선 표정 (시스) 미소 ...뭐야. 있어? 하은 (말이 없다) 미소 있구나. 누구?
42 ⑥		하은 측면 C.U	하은 ...나 학기 초에 한라고 농구 동아리 애들이랑 대면식 했잖아. 거기서 봤던 애.

Da O E 59CUT 2004.7

C#	장면	Angle	장면설명
43 ⑤ A		하은 OS 미소	히튼이 낯선 느낌 **미소**　너... 벌써 사귀는 거야?
44 ⑥		하은 측면 C.U	**하은**　아니지. 대면식 때 한 번 본 게 전분데. 근데 주말에 걔네랑 서클팅 있어서 또 볼 거 같아.
45 ⑤ B		하은 OS 미소C.U	**미소**　(잠시 생각하다가) 걔가 좋아?
46 ⑥		하은 측면 C.U	**하은**　...그려보고 싶어.
47 ⑤ B		하은 OS 미소C.U	**미소**　뭘?

Da O E 59CUT 2004.7

C#	장 면	Angle	장면설명
48 ⑦		하은 정면 B.S	하은　개 얼굴.
49 ④ A		미소,하은 2S W.S	미소　(툭- 치며) 야, 넌 담탱이 얼굴도 맨날 그리잖아 교과서 구석에다가.
50 ⑥		하은 C.U	하은　그거랑 다르지. (진지하게) 눈이 얼마나 예쁘게 생겼는데.
51 ④ B		미소 C.U	미소　뭐야.. 너 왜케 진지해..
52 ⑥		하은 C.U	뭔가에 빠져있는 눈빛의 하은

Da O E 59CUT 2004.7

C#	S장면	Angle	장면설명
53 ④ B		미소 C.U	그런 하은을 낮설게 보는 미소.
④ 54 ⑧		2S 뒷모습 F.S	테마스케치(!) 테이블에서 일어나 잠시 창 밖 바다를 보다가, 하은을 향해 돌아선다.
55 ⑤ B		미소 C.U	측후방 미소 고백해. 좋아하면 먼저 용기를 내야지.
56 ⑥		하은 C.U	하은 어떻게 내가 먼저 그래.

Da O E 59CUT 2004.7

C#	S장면	Angle	장면설명
57 ⑤ A		하은 OS 미소 / 앙각 (자리앉써 있으면)	미소 용기 있는 여자가 미남을 얻는단 말 몰라? 하은 그 반대 아냐? 미소 아니. 최근에 바뀌어. <u>걔 이름이 뭔데?</u>
58 ⑥		하은 C.U	하은 (부끄러운 듯 망설이다가) 진우... 함진우.
59 ⑨		미소,하은 2S F.S	미소 (허공에 한자 쓰듯) 참 진 자에, 소 우 자면.. 참된 소? 괜찮은데? 하은 (피식 웃는다)

※ 크레인/ 티붐.

#35
라이브 클럽 미소에게 진우 소개하는 하은

N O I 50CUT 2004.7

C#	장면	Angle	장면설명
	8:00-11:30	기타 C.U → 기훈 측면 C.U → 기훈 OS 드러머	전체 샷 + 가온 (빈컷) (각 밴드의 샷)
1			무대 위에서 락 음악 공연하는 리드 기타 기훈과 그의 밴드.
		Tilt up Pan	미소의 음악관, 공연하는 느낌
2		기훈 OS 객석	밴드의 공연을 관람하는 사람들
3		밴드뒷모습 F.S	공연을 하는 밴드

N O I 50CUT 2004.7

C#	장면	Angle	장면설명
4 ④		서빙하는 미소 → Fr-out 망원	알록달록한 컬러의 배꼽티를 입고, 음료와 술을 파는 바에서 아르바이트 하는 미소. - 테이블 서빙 / 행주락고
5 ⑤		미소 뒷모습 → 바 뒤로 숨는 미소 → 선그라스 쓰고 Fr-in 미소 Follow	- 입구로 돌아보는 미소 - 깜짝 반겼! 입구 쪽 누군가를 발견하곤, 재빨리 숨었다가 선글라스를 쓰고 일어선다. (표정입기) 억지에서 일어선다!

N O I 50CUT 2004.7

C#	장면	Angle	장면설명
⑥ ⑨ A		하은, 진우 2S (미소 POV) → 미소 OS 하은 (진우 더블 상태) → 미소 OS 하은, 진우	멀리 들어오는 하은 뒤따라오는 진우 다가오는 하은과 진우. 하은 웬 선글라스? 보여?
⑦ ⑤		하은, 진우 OS 미소	미소 (말없이 귀엽게 손만 흔든다)
⑧ ⑨ B		진우 B.S → 하은 Fr-out	하은 (진우 가리키며) 내가 저번에 얘기했지. 함진우. 진우 안녕하세요. 하은 내 제일 친한 친구 안미소. 동갑 이니까 서로 말 편하게 해. 미소 보고 뭔가 낯익은 느낌의 진우. 화장실 다녀오겠다고 말하고 자리를 뜨는 하은.

"나 화장실 다녀올테니까
인사하고 있어."
(하은)

N O I 5 0CUT 2004.7

C#	장 면	Angle	장면설명
9 ⑧	하 미 진	하은 F.S	진우와 미소를 남겨두고 화장실로 가는 하은
10 ⑦ A		미소 OS 진우	홀로 남겨진 진우가 일하는 미소를 본다. 미소가 못 본 척 일에만 열중하는데, 진우의 눈에 미소 귀에 걸린 ㅎㅇ귀걸이가 눈에 들어온다. 〈미소의 옆줄 유심히 보는 진우〉
11 ⑥	ㅎ	귀걸이 C.U	미소, 얼굴 봄 ✓ 미소 귀에 걸린 ㅎㅇ귀걸이 (✕) 눈 안마주치에 일하는 거 하는미소
12 ⑦ A		미소 OS 진우	진우 맞지. 재니스 조플린.
13 ⑤		미소 C.U	들켰다! 일을 멈추는 미소, 말없이 선글라스를 벗는다

N O I 50CUT 2004.7

C#	장면	Angle	장면설명
14 ⑤	14:30	미소,진우 측면 M.S	진우 **맞네. (웃으며) 나 사이다 좀.** 미소 **미성년자한텐 음료 안 팔아. 술만 팔아. 만 원.** 픽- 웃더니 만 원짜리 건네는 진우. 빤히 보다가 돈을 가져가는 미소.
15 ① A	11:30 -13:00	미소 C.U → 쉐이커 C.U / Tilt Down	미소가 보드카와 오렌지 쥬스, 클렌베리 쥬스를 지거에 따른 뒤 쉐이커에 넣고 능숙하게 흔든다.
16 ① A		진우.B.S	"맞네. 나 사이다 좀..." 미소를 보는 진우
17 ① B		진우 OS 미소	칵테일을 섞는 미소 ※ 칵테일을 여러단계 점프컷

N O I 50CUT 2004.7

C#	장 면	Angle	장면설명
18 ④		칵테일잔 C.U	글라스에 붉은 색 술을 따라내는 미소
19 ②		미소B.S	냉장고를 열어보는 미소 (청량고추 써는 인서트)
20 ③		청량고추 C.U	청량고추를 집어드는 미소
21 ④		칵테일잔 C.U	대구. 청양 고추를 잘라서 얹어주는 미소.
22-1 ⑤		미소 B.S → 칵테일잔 C.U Tilt down Pan	진우 앞으로 잔을 내미는 미소의 손

NOI 50CUT 2004.7

C#	장면	Angle	장면설명
22-2 ⑤			칵테일을 건네는 미소
23 ⑥ A		미소 OS 진우	진우　뭐야?
24 ⑦ A		진우 OS 미소	미소　섹스... (한참 있다가) 온 더 청양. *미소 '섹스' 대사 이후 C#23 인터컷으로 들어감 (진우리액션)'
25 ⑥ B		진우B.S	진우, 어이없다는 듯 웃고는 원샷을 한다. 캑캑거리며 잔뜩 얼굴 찡그리는 진우
26 ① A		진우 OS 미소	픽 웃는 미소 미소　하은이는 너 어디가 좋대냐?

14:30 -16:00

N O I 50CUT 2004.7

C#	장면	Angle		장면설명
27 ⑨ A		진우,미소 측면 2S	진우 미소 진우 미소 진우	(냅킨에 고추 뱉어내고는) ....다 좋대. 넌 하은이 어디가 좋은데? 다 좋지. 다 좋다고? 그건 그 사람 매력을 모를 때 퉁 쳐서 하는 말이지. 그럼 넌 하은이 어디가 좋은데?
28 ⑰ B		미소 C.U	미소	(생각하다가) 음.. 쓱- 돌아볼 때 눈빛. 웃을 때 보이는 앞니 두 개. 하품할 때 맺히는 눈물. 오른쪽 볼에 난 점.
29 ⑨ B		진우 측면 C.U	진우	하은이 볼에 점 없는데?
30 ⑨ B		미소 측면 C.U	미소	있어.
31-1 ⑨ B		진우 → 미소	진우	없거든.

N O I 50CUT 2004.7

C#	장면	Angle	장면설명
31-2 ㉠ B		Pan	말없이 그냥 웃는 미소.
16:00 ~ 20:00 32 ①		기훈 측면 → 기훈 OS 미소 Pan	곡의 엔드! 그때 연주를 마친 무대 위의 기훈이 멘트 한다. **기훈** 다음 곡은요, 특별히 저희 밴드 의 뮤즈를 모시겠습니다. (미소 보며) 안미소! 컴!
33 ②		(기훈POV) 미소 B.S	미소가 안 된다며 가운데 손가락을 올리자, *미소 가운데 손가락 올림 (fuck you)
34 ③		미소 OS 무대	(기출라밴드?) 기훈이 오히려 객석의 박수를 유도한다.

143

N O I 50CUT 2004.7

C#	장 면	Angle	장면설명
35/2		미소 FR-OUT → 진우 B.S	어쩔 수 없이 앞으로 나가는 미소.
36/3		무대 F.S	맨끝 거울위에 무대 위로 올라가면 기훈이 미소의 귀에 대고 뭐라 이야기한다. 잠시 후 <Me & Bobby Mcgee> 전주가 시작되고, 미소가 스트레칭을 하며 몸을 푼다. (전주와함께 바로 노래시작)
37		하은 → 진우,하은 2S Track out	(cut to) (cut to) 화장실에서 돌아오는 하은. 무대 위에서 밴드 멤버들과 함께 신나게 노래하고 있는 미소를 발견한다.

N O I 50CUT 2004.7

C#	장 면	Angle	장면설명
38		기타 → 기훈 → 밴드 → 미소 핸드헬드	'..Good enough for me and my Bobby McGee.. Nanana~~' 흥겹게 춤추며 자유롭게 노래하는 미소.
39		기훈 측면	기타치는 기훈

다양한
shot
① 핸드헬드
② f.s

N O I 50CUT 2004.7

C#	장면	Angle	장면설명
40 ⑥		미소,진우 뒷모습 2S	공연하는 미소와 기훈 객석에서본 3shot
41 ⑦		하은 OS 미소	노래하던 미소, 하은을 본다
42 ⑧ A		하은,진우 M.S 2S	손을 흔드는 하은　(끝에서)
43 ⑧		미소 B.S	손을 흔드는 미소　(끝에서)
44 ⑨ B		진우 OS 하은 B.S	하은　...내 친구 멋있지?

N O I 50CUT 2004.7

C#	장 면	Angle	장면설명
45 ⑪		하은 OS 진우	진우 독특하네. (진우의 시선 중요!)
46 ⑪		하은 OS 미소	하은 난 가끔 미소가 부러워. (멀리로 어서 할수도 …)
47 ⑪		하은 OS 진우	진우 뭐가?
48 ⑨ B		진우 OS 하은	하은 자유롭잖아. 거기에다 의외로 섬세하고.
49 ⑪		하은 OS 진우	진우가 슬쩍 하은의 옆 얼굴을 훔쳐보면,

N O I 50CUT 2004.7

C#	장면	Angle	장면설명
50	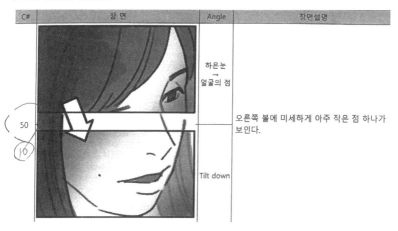	하은눈 → 얼굴의 점 Tilt down	오른쪽 볼에 미세하게 아주 작은 점 하나가 보인다.

ㅔ  다시 미소 보는 린수. //

S2  흥엉하는 미소

#58
호텔 바 & 레스토랑 바에서 서로 상처를 주는 미소와 하은

N O I 51CUT 2010.10

18:00
-23:00

(5시간)

C#	장면	Angle	장면설명	Check
1 ①	미 하	바 내부 F.S	화려한 도심 야경. 야외 테라스가 있는 호텔 바 & 레스토랑. *테이블 칸막이가 있는 바&레스토랑 / 무빙고려	* 서버이면써 → 공간해 (동선) 앞 → 전경
2 ⑤		메뉴판 C.U	메뉴판을 펼쳐 든 미소의 손	
3 ③ A		미소 B.S	실내 테이블. 스테이크, 파스타, 와인 등이 적힌 메뉴판을 보던 미소.	
4 ②		미소,하은 2S W.S	미소 (낮게) 딴 데 가자. 여기 가격 완전 사기야. 하은 그냥 먹자. 내가 보태서 낼게. 미소 밖에서 먹으면 배 터지게 먹어도 여기 반값도 안 돼. 하은 이럴 때 기분 내는 거지. 언제 이런 데 와 보겠어. 그냥 먹자.	
5 ③ B		미소 B.S	미소 (주변을 둘러보더니) ...잠깐 있어 봐. 잠시 무언가 생각하다가, 자리에서 일어나 바 (Bar) 쪽으로 가는 미소.	

N O I 9CUT 2010.10

C#	장면	Angle	장면설명	Check
6 ④		미소 OS 하은	자리에서 일어나는 미소를 보는 하은	
7 ⑥		쉐이커 C.U → 미소 B.S	풀샷 등으로 하은 지배인에게 지거와 쉐이커를 빌린 뒤 야외 테라스로 나가는 미소 (하은 서서)	
		Tilt up		
8 ⑨ A		하은 B.S	미소를 보는 하은	
9 ㄲ A		테라스 F.S (하은POV)	파티 중인 양복 입은 남자들에게 다가가 뭔가 이야기하는 미소, 양주와 토닉워터 등을 섞기 시작한다. *미소 동선 따라 PAN	

N O I 51CUT 2010.10

C#	장면	Angle	장면설명	Check
10 ⑨ B		하은 F.S	미소를 지켜보는 하은.	
11 ⑪ B		미소 M.S (하은POV) → 양복남들　PAN	화려한 쇼기술로 쉐이킹을 하자, 휴대폰으로 사진 찍으며 환호하는 양복남들. 던지고, 돌리며 칵테일을 만들어 여러 잔의 술을 따라내면, 양복남들이 좋아하며 잔을 돌린다.　*추가컷 :만들어진 술, 마시는 사람들, 따르는 미소 등 여러 컷	
12 ⑩		미소 OS 중년남 → 미소OS 하은　TRACK / PAN	술 취한 중년 상사가 맥주잔 가득 와인을 따라 미소에게 건네면, "원샷! 원샷!" 외치는 부하직원들. 하은의 시선으로, 원샷하는 미소의 모습이 보인다. 사진 찍으며 환호하는 남자들.	

151

N O I 9CUT 2010.10

C#	장 면	Angle	장면설명	Check
13		하은 B.S	굳어지는 하은의 표정. ✓	
14		테라스 F.S	숑 콘나는 넘기는, 기르 타인 받아내 잠시 후, 벌게진 얼굴을 한 채 와인 한 병을 들고 오는 미소. 넘자. 1.2 (2개)	
15		미소 W.S → 미소 OS 하은		
15		Follow	와인병을 들고 자리에 앉는 미소	
16-1		하은 OS 와인 C.U → 하은 OS 미소	미소 (와인 내려놓으며)	

5:30

N O I 51CUT 2010.10

C#	장 면	Angle	장면설명		Check
16-2		Tilt up	미소 하은 미소 하은 미소	이거 12만 원 짜리래. 우리도 기분 내야지. ....지금 뭐 한 거야? 뭐가? (정색) 저 사람들 모르는 사람들이잖아. 어차피 쟤네 돈 쓰려고 여기 온 거잖아. 잠깐 분위기 띄워주고 가져온 건데, 왜?	
17 ② A		미소 OS 하은	하은 미소 하은	(미소 얼굴 빤히 보다가) 모르는 사람들이잖아. 모르는 사람한테 왜 술을 얻어먹어. ....얻어온 거 아냐. 내가 일한 대가로 정당하게 받아 온 거지. 너 여기 일하러 왔어? 우리끼리 놀러 온 거잖아.	
18 ① B		미소 C.U 약부감	미소	(기분 상한 듯 보다가) ...몰랐구나. 나 원래 이렇게 살아.	
19 ② A		미소 OS 하은 B.S	하은	미소야...	
20 ① B		미소 C.U 약부감	미소	내가 얘기 안 했나? 나 예전에 배가 고픈데 돈이 없는 거야. 그래서 천 원씩 받고 프리 허그를 했다? 물론 공짜 아니니까 힐링 허그라고 써서. 세 시간 하고 얼마 모인 줄 알아?	

N O I 9CUT 2010.10

C#	장면	Angle	장면설명	Check
21 ② B		미소,하은 2S W.S	하은 (불편한 듯) 알겠어. 그만해. 미소 오만 원 모이더라. 그래서 혼자 소고기 사먹었다. 이것도 얻어먹은 거야? 하은 너 어디 가서 그런 얘기 함부로 하고 다니지 마.	
22 ① B		미소 C.U	미소 왜. 내가 창피해? (보다가) 넌 죽었다 깨나도 몰라. 내가 어떻게 살아왔는지..	
23 ③ A		하은 측면 C.U	하은 ... *남자들 등장	
24 ④ A		미소,하은 2S W.S → 양복남 Fr-in	둘 사이에 미묘한 기류가 흐르는데, 아까 양복남 둘이 다가온다. 양복남1 안녕~ (하은 보며) 친구도 술 잘 마시나? 주량이 어떻게 돼요? 하은 가세요. 양복남1 (히죽거리며) 어, 뭐지? 이 공손한 매너는? 튕기니까 더 귀엽네.	
25-1 ③ B		양복남2 OS 하은 → 양복남2 OS 미소	하은 저 남자친구 있으니까 가시라고요. 양복남2 (혀 꼬인) 헤헤.. 난 마누라도 있는데?	

N O I 51CUT 2010.10

C#	장면	Angle	장면설영	Check
25-1		Pan	미소　　　그만하고 가요. 　　　　　둘이 할 얘기 있으니까.	
26 Ⓐ B		미소 OS 양복남1,2 앙각	양복남2　년 왜 갑자기 딱딱하게 구세요? 　　　　　아깐 와서 온갖 아양을 다 떨드만. 　　　　　같이 놀자아~	
27 ③ B		미소 C.U	미소　　　(순간 돌변하며) 그냥 가라고 새꺄. 　　　　　병 깨서 확 얼굴 그어버리기 전에. 노껴릴	
28 ④ B		양복남 2S	당황한 채 쳐다보는 양복남2S 아이딩에 하벌써감.	
29 ⑥ A		미소 OS 하은	갑자기 싸해진 분위기. 하은도 낯선 표정으로 미소를 본다. 시선: 남리등 → 미소	

N O I 9CUT 2010.10

C#	장 면	Angle	장면설명	Check
30 ㅎ		바 F.S	미소가 서늘한 눈으로 노려보자, 술 덜 취한 양복남 1이 양복남 2를 데리고 간다. 가면서 욕하는 양복남 2	
31 ⑥ A		미소 OS 하은	애써 평정심 유지하려는 굳은 얼굴의 하은, 메뉴판을 편다. 하은　　뭐 먹을래? 난 스테이크 시킬게.	
32 ⑨ B		미소 측면 C.U	미소　　무슨 스테이크야. 내가 와인 가져 왔으니까 피자나 하나 시켜. 내가 살게.	
33 ⑪		직원 OS 미소,하은	하은　　(바로 옆 지나가던 직원 부르며) 여기요! (직원 오면) 안심 스테이크 2인분 주세요.	
34-1 ⑥ A		직원 Fr-out → 하은 OS 미소	미소　　술집에서 무슨 스테이크야. 가격도 순 바가진데. 직원 메뉴판 들고 가자 쓴 입맛 다시는 미소, 자조적으로.	

N O I 51CUT 2010.10

C#	장면	Angle	장면설명	Check
34-2			미소 하.. 이번엔 또 어디 가서 스테이크 얻어 와야 되나?	
35		미소 OS 하은	하은 미소야. 자꾸 왜 그래..	
36		하은 OS 미소	미소 (보다가) 난 니가 호텔비도 냈으니까... 밥 정도는 내가 사고 싶었어. 근데 내 사정 뻔히 알면서 호텔 와서 무슨 스테이크를 시키냐고!	
37		미소 OS 하은	하은 지금은 내가 돈이 있어서 사는 것 뿐이잖아. 친구 사이에 무슨 계산을 따져.	
38		하은 OS 미소	미소 계산? 년 안 따졌어, 계산?	

N O I 51CUT 2010.10

C#	장면	Angle	장면설명	Check
39 ⑨ A		미소,하은 2S	쳐다보는 주변 사람들. 서로를 노려보는 하은과 미소. 그때 테이블 위 하은의 휴대폰이 울린다.	
40 ⑩ A		핸드폰C.U	화면 위에 뜨는 진우와 하은의 커플 사진.	
41 ⑧ B		하은 OS 미소 → 미소	미소 앉아서 (handwritten) 미소, 자리에서 일어날 준비를 하며, 미소　받아. 자리 비켜줄 테니까.	
		Tilt up 약앙각		
42 ⑪		하은 B.S 약부감	하은　(전화 끊어버리곤) 니가 왜 자리를 비켜?	

N O I 51CUT 2010.10

C#	장면	Angle	장면설명		Check
43 ① B		핸드폰 C.U		핸드폰 끊는 하은	
44 ⑥ B		미소 B.S 약앙각	미소	진우 전화잖아. 편하게 받으라고.	
45 ⑥ A		하은 B.S	하은	진우 전화인데 니가 왜 자리를 비켜 주냐고. 너랑 아무 상관없는 전화 잖아. 뭐 찔리는 거 있어?	
46 ⑨ B		미소 측면 C.U	미소	....거 봐. 너 이렇게 계산하고 있 잖아. 겉으론 순진한 척 웃고 있 으면서, 속으로 하나하나 다 계산 하고. 찔리는 거 있는 사람.. 내가 아니라 너 아냐?	
47 ⑦		하은 B.S (미소시점) 약앙각	하은	무슨 소리야? (눈물 글썽이며 노려본다)	

159

C#	장면	Angle	장면설명	Check
48		미소B.S → 하온 OS 미소	미소 내가 기훈이 따라서 서울 간다고 했을 때. 겉으론 울고불고 했어도 속으론 기뻐했잖아....(아냐?) (대답이고 생각했잖아) (?) 하온 뭐? 미소 너...	
		Tilt down		
49		미소 OS 하온 Fr-out	(참을수 없는ㅡ?) 글썽이며 노려보다가 자리를 박차고 일어나는 하온	
50		호텔 바 F.S	밖으로 나가는 하온	
51		미소 B.S	혼자 남은 미소	

#95
공항 출국장 하은을 배웅하는 미소, 귀걸이 선물하는 하은

D O I 13CUT 2014.10

C#	장면	Angle	장면설명	Check
10		미소 OS 하은	새로 뚫은 자신의 귀를 보여주는 하은. 방금 미소에게 준 것과 같은 모양의 귀걸이가 걸려 있다.	
11		귀걸이C.U	하은 귀에 걸린 귀걸이	
12		하은 OS 미소	미소 **(말없이 귀걸이 보다가) ...한 번 안아보자.**	
13		공항 F.S	미소, 팔 벌려 하은을 품 안에 가득 안아준다. 쉽게 서로를 놓지 못하는 두 사람. - 효과: 배경음	

#96
시베리아 횡단 열차 눈 덮인 초원지대 달리는 열차와 엽서 쓰는 하은

D L/S I/E 12CUT 2014.12

C#	장면	Angle	장면설명
1		열차 LS	눈 덮인 초원지대를 평화롭게 달리는 시베리아 횡단열차 (약간 슬로우 느낌임)
1		드론 부감	- Stock Footage
2		열차 내부 F.S	시베리아 횡단열차 객차 내부
2		FIX	- Stock Footage
3		하은 M.S	창가 옆 4인석 자리에 앉아 미소에게 엽서를 쓰고 있는 하은 (앞 좌석 벽 걸고 촬영/ 앞과 옆의 승객들 사이의 하은 C#2과 연결된 느낌과 흔들리는 열차 느낌)
3		FIX	* 이불, 창의 서리, 김 올라오는 커피잔 그림 도구들, 옷 / 현실적 느낌 강하게
4		엽서 C.U	바이칼 호수 엽서 위에 꼼꼼히 써나가는 글씨.
4		FIX	(extra cut : 엽서 쓰는 하은 얼굴)

D L/S I/E 12CUT 2014.12

C#	장면	Angle	장면설명	Check
⑤ ①		사무실 F.S → 미소 Fr-In	웹 프로그래밍 사무실. 미소가 자리로 오면, 하은이 보낸 바이칼 호수 엽서가 놓여있다. *무언가를 발견하고 천천히 걸어듬. ─ 있는데 쩌리 (맹맹)*	
⑥ ③		엽서 C.U	*김여둔 쇼* 하은이 보낸 바이칼 호수 엽서 집어들고 보면. *(사진→글)* *연결*	
⑦ ②		미소 B.S	하은 (NA) 이제 우린 다른 삶을 살게 되겠구나. *(미소의미소)*	

D L/S I/E 12CUT 2014.12

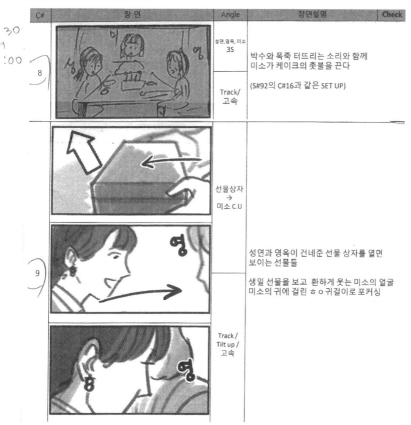

C#	장 면	Angle	장면설명	Check
8		성연,영옥, 미소 3S	박수와 폭죽 터뜨리는 소리와 함께 미소가 케이크의 촛불을 끈다	
		Track/ 고속	(S#92의 C#16과 같은 SET UP)	
9		선물상자 → 미소 C.U	성연과 영옥이 건네준 선물 상자를 열면 보이는 선물들	
			생일 선물을 보고 환하게 웃는 미소의 얼굴 미소의 귀에 걸린 ㅎㅇ귀걸이로 포커싱	
		Track / Tilt up / 고속		

94씬 9b cut와
동일한 앵글

D L/S I/E 12CUT 2014.12

C#	장면	Angle	장면설명	Check
10		선물상자 → 미소 C.U		
			생일 선물을 열어보며 좋아하는 미소. 미소의 한쪽 귀에 걸린 ㅎㅇ귀걸이 보인다.	
			하은 (NA) 넌 예전의 나처럼	
		Tilt up		

D L/S I/E 12CUT 2014.12

C#	장 면	Angle	장면설명
11		F.S	횡단열차 4인석. 테이블 위에는 한국과 러시아의 인스턴트 음식들이 놓여있고, 러시아 젊은이(남1,여2)들이 기대에 찬 표정으로 그림 그리는 하은을 바라보고 있다. 카메라 다가가면- 즐거운 표정으로 그림 그리는 하은
		Hand Held/ IN	* 앞 장면의 미소 편집 확인하여 비슷한 패턴 자유로운 핸드 헬드 (32프레임 확인) * 그림 그리는 모습 사진 찍어주는 동료 여승객 * 여러 날 숙박한 다양한 흔적들
12A		하은손 C.U	맞은편에 앉은 또래의 러시아 여성의 얼굴을 그리고 있는 하은의 손
12B		하은 측면 C.S	자연스럽게 그림을 그려주고 있는 하은의 얼굴 보이면, 한 쪽 귀에 걸린 ㅁㅅ귀걸이 하은 (NA) 난 예전의 너처럼. * 그림에 집중 버전 / 웃고 이야기 나누며 그리는 버전 / 핸드 헬드로 자연스레 다가가며 C.U

#117
하은의 산동네 집 열치 칭에 기댄 하은의 얼굴을 그리는 미소

N S I 13CUT 2021.1

C#	장 면	Angle	장면설명
1		전등 C.U	(F.I) (프롤로그 장면의 반복) 암전에서 탁- 켜지는 스탠드
2		스케치북 C.U / Focus 이동 / C.A	이젤 위에 놓인 캔버스
3		연필 E.C.U	날카롭게 깎이는 연필
4		연필 C.U	사각거리는 소리와 함께, 형태를 알 수 없는 흑백의 이미지가 보인다. 화면 위로 쉴 새 없이 움직이는 연필. 콘테와 목탄, 붓, 찰필이 번갈아가며 그림의 질감을 만들어 간다.

N S I 13CUT 2021.1

C#	장 면	Angle	장면설명
5		연필들 C.U	다양한 종류의 연필
6		지우개 C.U	지우개로 선을 수정하는 누군가의 손 *CG
7		연필 C.U	연필을 집어 드는 누군가의 손
8		연장통 C.U	연필을 연장통에 끼우는 누군가의 손
9		그림 C.U	연필로 사람의 질감을 섬세하게 표현하는 누군가의 손 빠르고 섬세한 연필의 움직임이 더해질수 록... 사진처럼 정교해져가는 사람의 눈. *CG

N S I 13CUT 2021.1

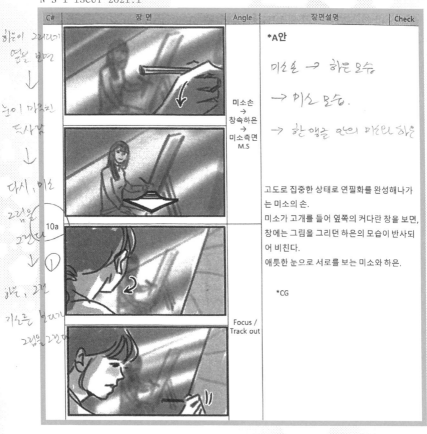

하은이 그림에 열중 비교

↓

눈이 마주친 두사람

↓

다시, 미소

그림을 그린다

10a ①

하은, 그림 미소를 보다가 그림을 그리

C#	장면	Angle	장면설명	Check
		미소손 → 창속하은 → 미소측면 M.S	*A안 미소손 → 하은모습 → 미소모습. → 한앵글 안의 미소와하은 고도로 집중한 상태로 연필화를 완성해나가는 미소의 손. 미소가 고개를 들어 옆쪽의 커다란 창을 보면, 창에는 그림을 그리던 하은의 모습이 반사되어 비친다. 애틋한 눈으로 서로를 보는 미소와 하은. *CG	
		Focus / Track out		

그림

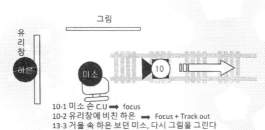

유리창
하은
미소
10

10-1 미소 손 C.U ➡ focus
10-2 유리창에 비친 하은 ➡ Focus + Track out
13-3 거울 속 하은 보던 미소, 다시 그림을 그린다

N S I 13CUT 2021.1

C#	장 면	Angle	장면설명	Check
10b ③		미소B.S	*B안 고도로 집중한 상태로 연필화를 완성해나가던 미소, 고개를 들어 옆쪽의 커다란 창을 보면.	
11b ②		미소 OS 하은	하은: 그림을 그리다가 미소와 눈이 마주친다. (서로를 보고 웃는 듯 싶은) 창에는 그림을 그리던 하은의 모습이 반사되어 비친다. ***하은 사이즈 조금 더 넓게 고려** ***CG**	✓
12b ④		미소 M.S	애틋한 눈으로 서로를 보는 미소와 하은. 다시 그림을 그리기 시작하는 미소. ***미소 조금 더 넓은 사이즈에서 Track in.** **무빙 멈추면 고개 돌려 다시 그림 그린다**	

⑦  미소 고개돌려 다시 그려

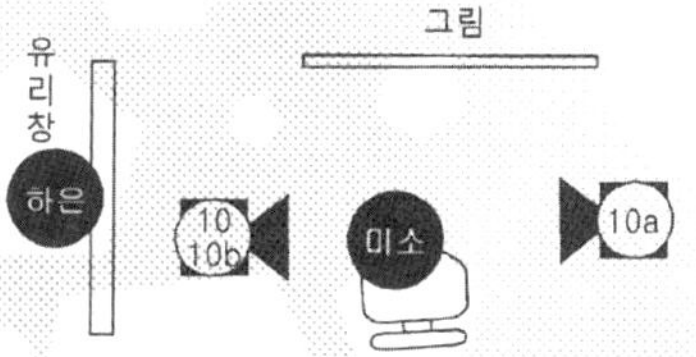

 유리에 비친 하은, 그림 그리다가 미소를 본다.

 미소, 하은을 본다

 유리창 속의 하은, 애틋한 미소.

10 창 문 보는 미소
10a 미소 OS (창문에 비친) 하은
10b 하은 보는 미소

그림

 글썽이는 눈으로 하은을 보며 웃는다

 하은이, 고개 돌려 그림 그리면

N S I 13CUT 2021.1

C#	장 면	Angle	장면설명	Check
13	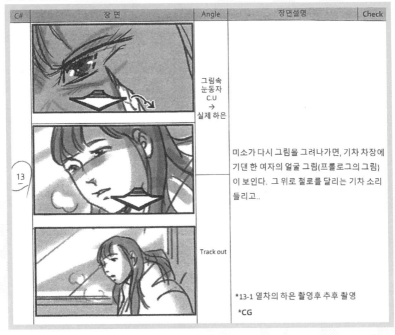	그림속 눈동자 C.U → 실제 하은 Track out	미소가 다시 그림을 그려나가면, 기차 차장에 기댄 한 여자의 얼굴 그림(프롤로그의그림) 이 보인다. 그 위로 철로를 달리는 기차 소리 들리고.. *13-1 열차의 하은 촬영후 추후 촬영 *CG	

#118
시베리아 횡단 열차 눈 덮인 평야, 멀리 바이칼 호수로 걷는 하은

D S/L I 4CUT 언젠가 겨울

C#	장 면	Angle	장면설명	Check
1		하은 B.S → 하은 M.S Track out	그림 속 여자의 얼굴이 실제화면으로 점차 바뀌면, 차창에 기댄 채 생각에 잠긴 하은의 얼굴. 열차 멈추는 소리와 함께 러시아어 안내 방송이 들린다. 'Станция для остановки на этот раз "Байкал"...' (이번 정차할 역은 바이칼 호입니다...) " 하은이 둘러보면, 시베리아 횡단 열차의 3등석 침대칸에는 아무도 없다. *CG	
2		객실 F.S → 하은 Fr-in	화구 배낭과 카메라를 멘 뒤, 털모자를 쓰고 빈 열차를 둘러보는 하은. *CG	
3		하은 측면 M.S	적막이 감도는 빈 열차를 걷다가 출입구를 통해 밖으로 나간다. *CG	

D S/L Ⅰ 4CUT 언젠가 겨울

C#	장 면	Angle	장면설명	Check
4	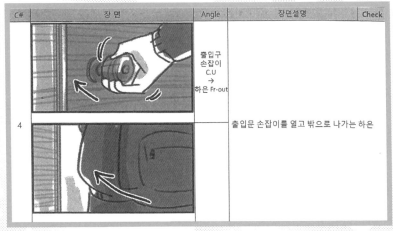	출입구 손잡이 C.U → 하은 Fr-out	출입문 손잡이를 열고 밖으로 나가는 하은	

#119

바이칼 겨울 호수 바이칼 호수에 도착한 하은, 엽서 속의 장면과 마주한다

D L E 8CUT 언젠가 겨울

C#	장면	Angle	장면설명
		그림 속 미소눈 E.C.U → 그림 속 하은 눈 E.C.U	미소의 눈에서 하은의 눈으로 바뀌는 그림 (눈동자에서 Change)
1		그림 속 하은 B.C.U → 실사 하은 C.U	＊ 시선 높이 카메라 점점 빠지면 하은의 얼굴을 그린 극사실주의 연필화. (카메라 계속 빠지면서 하은의 실제 얼굴로 변하는 그림) ＊ 미소 그림과 닮은 ---
		하은 C.U Track Out	실제 하은의 얼굴로 변하면 하은은 앞 쪽 어딘가를 올려다보고 있다. 다시 고개를 숙이고 보면, ＊ 국내촬영 및 합성 ＊ 카메라 베리멀 아래보고- 다시 위에보고
2		엽서 든 하은 손 C.U FIX	장갑 낀 손에 쥐어진 엽서 한장. 오래전 미소가 선물로 준 겨울 바이칼 호수의 오고이 섬 풍경 엽서다.
3		하은 C.U FIX	다시 고개를 들어 앞을 보면, - 반 걸이 ＊ 국내촬영 및 합성 (혹은 걸때) ＊ 무빙

D S/L I 4CUT 언젠가 겨울

C#	장면	Angle	장면설명
4		C.U	하은의 눈 앞에 펼쳐져 있는 겨울 바이칼 호수의 실제 오고이 섬 풍경.
		FIX	* 파란 하늘과 그에 비친 얼음 바닥
5 ※		하은 B.S	카메라 천천히 다가가면 상기된 얼굴의 하은. 엽서를 주머니에 넣고 심호흡을 한 뒤 발을 뗀다. ✓

		Track-In
		(?)
			* 하은의 뒤로 펼쳐져 있는 파란 하늘과
			  눈 덮인 산맥, 쨍한 얼음 바닥.
			  이 부분에서 바이칼의 공간이 제대로 보임
			* 국내 촬영 및 합성

6		하은 발 C.U	• 발 있는 상태 / 프레임 핀 성 빙판을 딛고 앞을 향해 걷는 하은의 발.
		FIX	* 국내 촬영 / 대역 현지 촬영 동시 진행 * 바이칼 호수 바닥의 얼음 크랙
7		하은 뒷모습 B.S	오고이 섬을 향해 걸어가는 하은의 뒷모습.
		FIX	* 국내 촬영 / 대역 현지 촬영 동시 진행 * 멀어지는 뒷모습 LS 까지

D L E 8CUT 언젠가 겨울

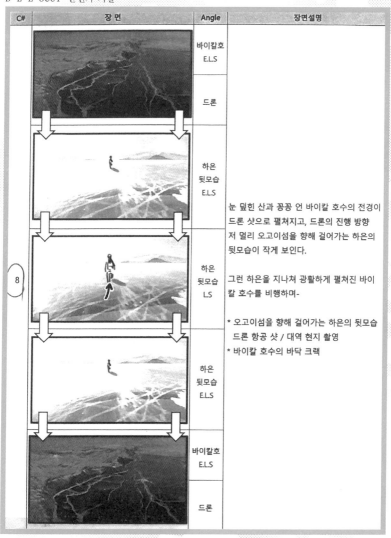

C#	장면	Angle	장면설명
8		바이칼호 E.L.S	
		드론	
		하은 뒷모습 E.L.S	눈 덮힌 산과 꽁꽁 언 바이칼 호수의 전경이 드론 샷으로 펼쳐지고, 드론의 진행 방향 저 멀리 오고이섬을 향해 걸어가는 하은의 뒷모습이 작게 보인다.
		하은 뒷모습 L.S	그런 하은을 지나쳐 광활하게 펼쳐진 바이칼 호수를 비행하며-
		하은 뒷모습 E.L.S	* 오고이섬을 향해 걸어가는 하은의 뒷모습 드론 항공 샷 / 대역 현지 촬영 * 바이칼 호수의 바닥 크랙
		바이칼호 E.L.S	
		드론	

에세이

김송미
(에세이 기타)

Essay

세월과 순수 :
〈소울메이트〉에서 흐르는 시간의 두께,
그리고 '영혼의 방'에 관해

두 여자는 상대의 빛을 받아 자기 안의 진정한
추구를 깨닫는다. 그리고 서로의 반대편으로 가로질러
나아간다. 교차점에서 그들은 잠시 한 몸처럼
움직이기도 한다. 원작영화에는 없던 시각적 메타포인
인물화가 동원되어 둘의 중첩은 선명해진다.
아주 오래된 관계의 성원들이 서로를 닮아감으로써
자신답게 되어가는 이야기를 그것만으로도 이미
충분하다고 말해도 손색은 없을 것이다. 그런데 나는
영화 〈소울메이트〉가 미소와 하은의 관계 안에,
운명론적이고 약간은 숭고한 느낌마저 내는 무언가를
심어 넣었다고 말하려는 참이다. 그것을 이 영화의
제목에 기대 '소울메이트적'인 것이라고 단언하기는
어렵다. 다만 블로그의 편지를 매개 삼아 비선형적
내러티브를 정교하게 쌓아가는 〈소울메이트〉의 형식이
그 시간의 총합 이상의 무언가를 생성해낸다는 것만은
분명하다. 이는 모든 날들이 여전히 젊디젊은 인물들을
살피는 이 영화에 내내 묘한 회한의 정서가 흐른다는
사실과도 무관하지 않을 것이다.

비슷한 정서를 아울러 '세월적 감각'을 가진 영화들이 있다고 불러보고 싶다. 우리를 갈라놓는, 나아가 전혀 예기치 못한 순간에 스쳐 지나가게 하는 시간이라는 절대적인 지배자가 특히 좋아하는 곳은 사랑하는 이들의 마음속이다. 미소와 하은의 가슴 아픈 성장담이면서 멜로드라마이기도 한 〈소울메이트〉 역시 그렇다. 〈소울메이트〉의 각본은 두 여성이 인생에서 가장 천변만화하는 시기를 11살, 18살, 25살, 33살 등으로 쪼개어 그들의 세월이 역동하는 과정과 자연스럽게 병치되도록 했다. 그리고 편지 내레이션을 경유해 재배열되는 〈소울메이트〉의 시간은 그 회고의 주체를 점점 더 특정하기 힘든 형태로, 하나로 뭉쳐지고 들러붙은 자아의 콜라주로 완성되어 간다. 중요해지는 것은, '과거에 어떤 일이 벌어졌는가' 하는 미스터리의 실체가 아니라 '왜 인생의 미래지향적 속성을 방해하는 어떤 기억과 감정의 개입이 일어나는가' 그리고 '그것을 왜 놓쳐서는 안 되는가' 같은 질문이다.

이를 다시 관계의 언어로 환원하자면, 허탈해진 스물다섯 미소가 욕실에 주저앉아 "근데… 우리 왜 이렇게 된 거야?"라고 토해내는 슬픔이 된다. 혹은 귀 뚫는 값이 오천 원이라는 팬시점 사장에게 "아니에요. 만 원이 맞아요"라고 답하는 스물일곱 하은의 웃음도 된다. 또 그것은 "'귀 뚫어드립니다'라는 예전의 낡은 현수막"이라고 적힌 시나리오 속 지문도 될 수 있다. 10대의 미소와 하은에게, 그들을 지켜보는 관객에게 그다지 대수롭지 않았던 공간인 아트 팬시점은 비로소 〈소울메이트〉가 남기는 하나의 진한 감정적 소용돌이 안에 수렴된다. 세월의 작용을 통과한 뒤 어느 순간 모퉁이에서 불쑥 튀어나오는 것들로부터 생성되는 감정을 〈소울메이트〉의 각본은 끊임없이 건드리고 있다. 15년, 미소와 하은이 함께한 시간의 총합이 곧 자기 생의 전부인 고양이 '엄마'를 두고 수의사가 "너무 애쓰지 않는 게 가끔 더 나을 때도 있어요"라는 말을 들려주는 순간도 마찬가지일 것이다.

그렇다면 이런 질문이 뒤따른다. 인생의 중요한 길목마다 푯말처럼 서있는 단 한 사람의 존재가 있는데도 미소와 하은은 왜 엇갈리는 길로 꾸역꾸역 걸어가고 말았을까. 〈소울메이트〉는 미소와 하은의 관계를 우정이나 사랑, 혹은 진정한 소울메이트 같은 의미로 범주화할 시도에는 관심이 없지만, 두 사람이 서로를 외면할 정도로 강렬하게 원했다는 사실만큼은 작품 전체의 동력원으로 삼고 있다. 요컨대 이 관계의 아름다움은 그들이 통과한 두려움, 그리고 끔찍한 회피의 시간을 빼놓고는 말할 수가 없다. 삼각관계의 또 다른 한 축인 진우의 서사를 깔끔히 압축한 민용근 감독의 영화에서 더 깨끗한 결정체로

추출된 것은 관계를 깨트리고 싶지 않은 미소와
하은의 긴장감, 혹은 기묘한 버거움일 것이다.
나이가 들어가면서 둘은 용기 내어 직시한다.
영화 속 현실에서나 애써 꾸며낸 이야기 속에서나
상황이 어떻든 언제나 한쪽이 다른 한쪽을
만나러 찾아온다는 사실은 〈소울메이트〉의 각본이
주는 큰 위안이다.

〈소울메이트〉가 끝나는 자리에서 미소는 하은 없이도
아직 인생의 정오에 서 있다. 자유를 재니스
조플린의 노랫말과 짝지은 〈소울메이트〉에서
죽음은 일찌감치 예견됐다. 1960년대 이상주의자들,
그리고 1970년대 뉴 할리우드 영화의 반체제주의자
캐릭터들이 누린 결말처럼 〈소울메이트〉의
자유로운 청춘도 사라져야만 한다. 이런 선택은
민용근 감독이 〈소울메이트: 메이킹 다이어리〉의
인터뷰에서 밝힌 대로, 원작에서처럼 누군가 꼭
죽어야 하는지, 혹은 이 이야기에 죽음이 있다면
누구의 것이 되어야 할지 긴 다양한 버전을 시험한 끝에
내려졌다. 결과적으로 〈소울메이트〉는 제도권 밖으로
뛰쳐나간 여성, 결혼식장에서 도망쳐 바이칼 호수로의
여행을 계획하는 하은에게 요절하는 청춘이라는
상징적인 이름표를 달아준다. 원작영화와의 차별점이나
장르 계승의 측면에서 이 죽음의 방식은 이렇다 할

유의미한 격차를 보여주지는 않는다.

이상한 감정이 틈입하는 것은 그다음이다. 하은이
처음 입주했을 때 미소의 흔적이 그대로 남아있었고
혼자 된 미소가 다시 돌아왔을 때에도 여전히 하은의
자취가 새겨져 있는 곳. 그곳에서 그림을 그리는
미소의 모습이 영화의 말미를 장식하기 때문이다.
미소와 하은을 엇갈려 받아내는 동안 누군가의 개입
없이 그대로인 성북동 집은 〈소울메이트〉가 종종
항복하곤 했던 시간의 위력을 초월한다고도 볼 수 있을
것 같다. 애초에 두 사람이 시간의 격차를 두고 같은
집에 머문다는 모티프 자체가 대놓고 비현실적이라고
해도 좋을 것이다. 말하자면 제주도와 바이칼 호수
사이, 청춘과 생존 사이의 요새. 두 여성이 각자 그렸던
그림이 어느덧 공동 작업으로 변모해가는 영혼의
방. 여기에 머무르면서 미소는 앞으로 더는 하은을
만나지 못하더라도 계속 (함께) 그림을 그려 나간다.
〈소울메이트〉 개봉 과정의 여러 인터뷰에서 민용근
감독이 언급한대로, 긴 시간 영화 제작에 어려움을
겪을 때 "영화를 만들지 못하더라도 창작하는 기쁨을
다시 찾을 수 있다면 좋겠다"고 결심한 것과 맞닿은
자세이다. 언뜻 듣기에 그저 좋은 말처럼 들릴지도
모르는.

그런데 홀로 외딴 방으로 걸어 들어가 이젤과
독대한 채로 하은의 그림을 이어가는 미소를 볼 때,
그 말의 간절함이 덜컥 명치에 얹힌다. 나라면
그럴 수 있겠는가 자문해본다. 당신은? 우리는 하은이
없더라도 그 방을 매번 다시 찾는 미소가 될 수 있을까?
아니 그 이전에, 미소를 만날 수 없는데도 그의 흔적이
가득한 곳에서 버텨보는 하은이 될 수 있을까?
연인이나 소울메이트, 자유나 꿈. 그게 무엇이든
좀처럼 얻지 못하는 순간에도 계속 사랑할 수 있을까?

〈소울메이트〉 속 두 여자들의 빛을 받아 발견한
내 안의 뒤늦은 질문은 이런 것들이었다.

소울메이트 각본집

Soulmate: Screenplay Book

초판	1쇄 발행 23.06.09.
저자	강현주 민용근
펴낸곳	플레인아카이브
펴낸이	백준오
편집	이한솔 백준오
디자인	박채희
교정	이보람
지원	장지선
표지 베이스 디자인	박동우
스토리보드	조나래
도움 주신 분	UAA, 바로엔터테인먼트, 숲엔터테인먼트, 콘텐츠판다, 클라이맥스 스튜디오, 프로파간다
출판등록	2017년 3월 30일 제406-2017-000039호
주소	경기도 파주시 회동길 336-17, 302
이메일	cs@plainarchive.com

24,000원
979-11-90738-55-2 (03680)

우리가 함께한
기특한 시간들에 대한 선물이야.
고마워 미소야.